LA PLUIE D'HALLOWEEN

D0285847

*Traduit de l'américain
par Isabelle Troin
et adapté pour l'édition Jeunesse
par Marie du Plateau*

Buffy™
CONTRE LES VAMPIRES

Christopher GOLDEN
et Nancy HOLDER

La pluie d'Halloween

D'après la série créée par Joss Whedon

Édition Jeunesse

POCKET
jeunesse

Titre original :
Halloween Rain

Collection dirigée par
Patrice DUVIC et Jacques GOIMARD

Loi n° 49-956 du 16 juillet 1949 sur les publications destinées
à la jeunesse : octobre 2000.

ISBN 2-266-10606-6

PROLOGUE

Il était tard. Sous la pâle lueur du clair de lune, les monuments funéraires projetaient des ombres inquiétantes dans le cimetière de Sunnydale. On pouvait se demander combien de temps les morts y resteraient vraiment enterrés, car Sunnydale avait un autre nom : la Bouche de l'Enfer.

Le cimetière trahissait la véritable nature de la ville. Les anges de pierre y devenaient des démons ricanants ; les mains croisées pour une prière se changeaient en serres ; les croix étaient suspendues à l'envers.

Bref, rien de bien original.

Debout près du portail, Buffy la Tueuse de Vampires scrutait l'obscurité, à la recherche d'un ennemi éventuel.

Le 30 octobre touchait à sa fin ; Buffy patrouillait depuis des heures, et elle n'avait pas aperçu l'ombre d'un vampire, ni celle du plus petit démon ou de la moindre sorcière.

En réalité, elle avait croisé une sorcière pendant le cours de gym. Mais Cordélia n'avait aucun pouvoir surnaturel, elle n'était pas dangereuse, une sale chipie, rien de plus.

Durant les fêtes d'Halloween, il fallait absolument que Buffy obtienne son diplôme de Tueuse de Vampires.

Pendant tout le mois d'octobre elle s'était entraînée dur, et avait affûté un nombre considérable de pieux en bois. Elle s'était mentalement préparée au massacre. Mais cela faisait au moins trois semaines qu'elle n'avait pas pulvérisé un vampire, ni quoi que ce soit d'autre, d'ailleurs. Elle s'ennuyait tellement qu'elle s'était mise à étudier.

Buffy aurait dû se réjouir du calme qui régnait à Sunnydale. Depuis qu'elle avait découvert qu'elle était l'Élue, elle n'aspirait qu'à être une adolescente normale : avoir un petit ami, traîner le soir avec ses copains, sécher le plus de cours possible.

Au lieu de ça, elle passait son temps libre à tuer des vampires, à décapiter des monstres, et à tenter de garder ses amis en vie assez longtemps pour qu'ils connaissent un jour les joies du monde adulte.

Tu parles de loisirs ! « Nana mignonne et plutôt intelligente cherche désespérément vie normale. »

Cela dit, elle ne pouvait s'en prendre qu'à elle : quand on passait son temps à rechercher des morts vivants pour les éliminer, il ne fallait pas s'étonner !

Pathétique, songea Buffy. *Je ne vois pas à quoi ça sert d'être la Tueuse quand toutes les victimes potentielles sont parties en vacances. Je ferais mieux de rentrer.*

Avec un peu de chance, Willow passerait lui faire réviser ses cours d'histoire, et elles pourraient engloutir toutes les sucreries que sa mère avait achetées en prévision d'Halloween.

Soudain, au fond du cimetière, un cri à vous glacer le sang déchira la nuit. Sans hésitation, Buffy sauta par-dessus le mur et courut dans la direction du hurlement.

Elle zigzagua entre les pierres tombales brisées, les buissons et les racines d'arbres, ouvrant son sac pour en sortir un pieu. Les tueurs de vampires devaient être comme les boy-scouts : toujours prêts.

Un autre cri, plus fort et plus désespéré. Buffy accéléra en se demandant contre qui elle allait se battre. Un vampire ? Deux ? Une horde entière ? À moins que ce ne soit une créature qu'elle n'avait encore jamais affrontée : une sorte de cadeau pour Halloween.

Une seconde, Buffy souhaita se trouver ailleurs, mais repoussa aussitôt cette idée.

Nouveau hurlement suraigu. C'était la voix d'une fille.

— Non, non ! Arrête !

Craignant d'arriver trop tard, Buffy bondit par-dessus la pierre tombale la plus proche.

Allongée sur une dalle de marbre, une adolescente blonde se débattait entre les griffes d'un assaillant qui la tenait par les poignets. La créature au visage caché éclata de rire. Puis elle se pencha, prête à plonger ses crocs dans le cou de sa victime.

Buffy fondit sur l'agresseur. Elle le saisit par la taille, l'arracha à la fille et roula avec lui sur le sol. Elle l'immobilisa sur le dos, empoigna son pieu à deux mains, visa et…

— Arrête! hurla l'adolescente, terrifiée. Laisse-le tranquille!

Buffy se pencha pour mieux voir le visage de l'agresseur. C'était John Bartlett, son voisin de classe en cours de trigonométrie. Quant à sa victime, il s'agissait d'Aphrodésia Kingsbury, sa petite amie.

— Qu'est-ce qui t'arrive, Buffy? s'égosilla la jeune fille tandis que John s'éloignait en rampant. Tu es folle ou quoi? On devrait t'enfermer dans un asile!

Buffy inspira profondément. Elle rangea le pieu dans son sac et se racla la gorge.

— Navrée, marmonna-t-elle. Je t'ai pris pour quelqu'un d'autre.

Elle se détourna puis rebroussa chemin en essayant de garder le peu de dignité qui lui restait.

— Quelle psychopathe! lâcha Aphrodésia dans son dos, sans même se soucier de baisser la voix.

— Complètement, acquiesça John. Mais je la trouve drôlement jolie.

— Jooohn! geignit sa petite amie.

Pendant qu'elle revenait vers le portail du cimetière, Buffy entendit les jeunes gens se disputer. Elle les enviait : au moins, ils avaient quelqu'un avec qui se chamailler. Décidément, même les vampires semblaient la fuir ces derniers temps…

Buffy l'Élue, la Tueuse, n'avait plus qu'à rentrer chez elle pour s'attaquer à une tâche harassante : vider tous les pots de crème glacée de la maison.

Après tout, demain serait un jour nouveau. Et une nuit nouvelle arriverait : celle d'Halloween. Il se passerait bien quelque chose pour la tenir éveillée.

1

Buffy avait mal dormi. Comme si ça ne suffisait pas, de gros nuages menaçants s'amoncelaient dans le ciel, promettant de la pluie avant le soir. Le genre de temps qui vous donne envie de passer la journée au lit... comme un vampire. Le genre de temps qui empêche les jeunes de peaufiner leur bronzage.

Elle se leva en se promettant de garder les yeux ouverts durant son premier cours de la journée. Le sac à dos sur l'épaule, elle se dirigea vers le lycée.

Elle était un peu en avance, ce qui n'était guère dans ses habitudes. Mais, depuis qu'elle s'était fait expulser de son ancien établissement, elle s'efforçait de prendre de bonnes résolutions. En outre, quand elle arrivait tôt, elle pouvait passer quelques minutes à bavarder avec Willow et Alex.

— Joyeux Halloween ! cria Alex derrière elle.

Buffy ralentit pour lui laisser le temps d'arriver à sa hauteur.

— Alex, le réprimanda-t-elle, Halloween est pour les vampires l'équivalent de notre jour de remise des diplômes : partout dans le monde, les forces des ténèbres se rassemblent pour une méga-fête.

— Oui, mais c'est juste du chiqué ! protesta Alex. Des gamins qui se déguisent, et…

— Alex, soupira Buffy. Dois-je te rappeler où nous vivons ?

— D'accord, admit-il. La ville est plutôt calme depuis quelques semaines, et je me sentais d'humeur à rigoler…

— Alors, joyeux Halloween à toi aussi, déclara Buffy.

Alex Harris lui fit un sourire charmeur et repoussa de son front la mèche rebelle qui retomba aussitôt. Il parut sur le point d'ajouter quelque chose, mais Buffy et lui venaient d'arriver devant le banc où ils avaient rendez-vous avec Willow.

La jeune fille était déjà là, le nez dans un bouquin poussiéreux qui, d'après son titre, traitait de rituels mystérieux. Alex se pencha pour regarder par-dessus son épaule.

—Willow, ma chère petite, quand je pense que tu avais l'habitude de lire des choses si terre à terre. (Il mit dans sa voix une désapprobation toute parentale.) Et voilà que depuis quelque temps tu traînes avec des voyous…

Willow referma son livre.

— C'est Giles qui me l'a prêté, expliqua-t-elle. Je trouve ce bouquin fascinant. Il parle d'un alchimiste du XVIe siècle qui… Bah, je suis sûre que ça vous assommerait.

Buffy et Alex échangèrent un regard innocent : « Comment ne pas être captivés par le moindre mot qui sort de ta bouche ? » semblaient-ils dire. Mais ils n'osaient pas trop charrier Willow : si elle n'était pas là pour les aider à bosser leurs cours, ils ne passeraient jamais dans la classe supérieure.

— Joyeux Halloween, Willow ! dit chaleureusement Buffy.

Avec ses longs cheveux châtains et son regard triste, Willow Rosenberg était la plus douce et la moins branchée des filles de Sunnydale. Mais, Alex mis à part, Buffy n'avait jamais eu de meilleur(e) ami(e).

Les deux jeunes gens savaient tout de la mission de Tueuse dont était chargée Buffy, et ils la soutenaient quelles que soient les circonstances. À plusieurs reprises, ils avaient risqué leur vie pour lui venir en aide.

En tant qu'Élue, Buffy avait l'obligation morale de tuer des vampires. Mais rien ne forçait Alex et Willow à l'assister ; aussi les jugeait-elle beaucoup plus courageux qu'elle, sans compter qu'ils n'avaient aucun pouvoir !

— Tu te souviens quand ta mère organisait ses goûters d'Halloween ? demanda Alex à Willow. Elle mettait des pommes dans une bassine remplie d'eau et il fallait les attraper avec la bouche.

Les deux jeunes gens se connaissaient depuis l'enfance, alors que Buffy était arrivée à Sunnydale deux mois plus tôt.

— Je me rappelle surtout que tu essayais de me noyer, dit Willow. (Elle se tourna vers Buffy.) La mémoire sélective des garçons m'étonnera toujours.

— Tu sais bien qu'ils se moquent de nous dans l'unique espoir de se faire remarquer, souffla Buffy d'un air de conspirateur.

— Moi, dit Willow à voix basse, je l'ai remarqué quand on avait cinq ans. Depuis, j'attends qu'il fasse pareil.

— J'adorais ces goûters, continua Alex, qui n'avait rien entendu. C'est toujours moi qui gagnais le concours de découpage de citrouille. Qu'est-ce qu'on se marrait ! Mais tu as raison : à présent, Halloween ne signifie plus grand-chose. Même les films d'horreur ne me paraissent plus aussi effrayants depuis que… depuis que…

— Je sais, acquiesça Buffy. Depuis que je suis en ville. Ça me fait exactement le même effet. Avant, ma mère et moi, on regardait ces films en se bourrant de pop-corn et de friandises. Maintenant, ça ne m'intéresse plus. Je me contente de me bourrer de friandises.

Willow la pinça discrètement.

— Méchante sorcière et singes ailés à l'horizon, chuchota-t-elle.

Levant la tête, Buffy vit approcher Cordélia et son fan-club. Cordélia ne leur prêta aucune attention, mais Aphrodésia Kingsbury était avec elle, et Buffy frémit en voyant qu'elle l'avait remarquée.

— Tiens, tiens ! Mais c'est notre psychopathe, ricana Aphrodésia. J'ai raconté à tout le monde ce qui s'est passé hier soir, ma vieille. À ta place, la prochaine fois, je ne sortirais pas sans avoir pris mes médicaments.

Buffy ouvrit la bouche pour répondre, mais Alex fut plus rapide.

— Fais gaffe. À *ta* place, j'hésiterais à contrarier Buffy.

— Tu oses me menacer ? demanda Aphrodésia en fondant sur Alex comme un missile à tête chercheuse. Figure-toi que le copain de ma sœur est en fac de droit, et il m'a promis d'envoyer en prison tous les gens qui m'embêteraient.

— Super! Là-bas, il y aura peut-être un service décent, se moqua Alex. Parce que, chez moi, ça laisse un peu à désirer.

Aphrodésia plissa le nez comme si des effluves répugnants offensaient son odorat.

— T'es vraiment débile, Alex. Et Willow aussi. Cordélia a bien raison : deux minables ensemble. Avec beaucoup d'efforts, vous vous hisserez peut-être au stade de primate. Mais pas si vous continuez à traîner avec Buffy.

Voyant que Cordélia et le reste de sa clique avaient poursuivi leur chemin, Aphrodésia pressa le pas pour les rattraper.

Les trois jeunes gens gardèrent le silence pendant quelques instants. Puis Willow se tourna vers Alex et Buffy en haussant les sourcils.

— Vous venez au *Bronze* ce soir ?

— Tu penses! Je ne raterais le bal masqué pour rien au monde! s'écria Alex. Je vais me déguiser en Indiana Jones.

— Ça ne m'étonne pas, répliqua son amie. Depuis que tu as neuf ans, tu portes le même chapeau débile pour Halloween.

Alex la dévisagea, vexé, et Buffy réprima un fou rire pour ne pas l'embarrasser davantage.

— Si l'aventure a un nom, très chère, c'est celui d'Alex Harris, répliqua-t-il avec emphase… En fait, c'est Harrison Ford, mais les gens nous confondent tout le temps.

Les deux filles lui jetèrent un regard incrédule.

— D'accord, ça n'est arrivé qu'une ou deux fois… Une fois… Bon, jamais. Mais nous avons la même couleur de cheveux, et ma mère trouve que je lui ressemble. Donc, à moins que vous n'ayez une meilleure idée de costume pour moi…

— J'en ai une, mais je t'en parlerai plus tard, dit Willow en prenant un air mystérieux. C'est une surprise pour Buffy.

— Ne comptez pas me voir à la soirée, répliqua Buffy. Pour les vampires, Halloween est l'occasion de se déchaîner. Ce n'est pas parce que tout est calme depuis un moment que…

— Calme ? Mortel, tu veux dire, gloussa Willow.

— Je suis sûre qu'il se passera quelque chose ce soir, s'entêta Buffy.

— On dirait que rien ne saurait te faire plus plaisir, fit remarquer Alex. Je sais que, comparé aux *raves* de Los Angeles, notre petit bal masqué de province doit avoir l'air pathétique. Mais, crois-moi, c'est le plus grand événement de l'année dans une ville où il n'y a même pas de centre commercial.

— Allez, Buffy, supplia Willow. Tu peux au moins commencer la soirée au *Bronze*. Rien ne t'empêche de partir si une urgence te réclame.

Buffy n'eut pas besoin de beaucoup réfléchir. Si elle ne passait pas un peu plus de temps avec ses amis, ils risquaient de lui tourner le dos et d'adopter une autre Tueuse de Vampires. Ou peut-être pas, vu qu'elle était la seule ! Une Tueuse par génération : c'était le passage favori de Giles dans le *Manuel du massacre*.

Tout de même, passer la soirée au *Bronze* la tentait.

— Je vais en parler à Giles, décida-t-elle. Il persiste à croire que c'est la période de calme qui précède la tempête.

2

Dès que la cloche de la liberté retentit, Buffy bondit sur ses pieds et se fraya un chemin parmi la foule des élèves. Il y avait de l'électricité dans l'air; tous les adolescents semblaient nerveux comme des gamins à l'approche de Noël. Halloween avait le don de les faire retomber en enfance.

Il n'en avait pas toujours été ainsi. Buffy avait écouté les explications de Giles, son Gardien, d'une oreille distraite, mais elle savait qu'Halloween avait remplacé un ancien rituel plutôt barbare.

La foule commença à s'éclaircir dans le hall. Buffy ne jugea pas utile de passer par son vestiaire: elle avait dans son sac à dos de quoi s'occuper pour le week-end. Elle se dirigea donc vers la bibliothèque afin de parler à Giles.

Elle passait devant le laboratoire de sciences quand des pattes couvertes de fourrure jaune et terminées par de longues griffes jaillirent pour la saisir aux épaules. Du coin de l'œil, Buffy vit la gueule grande ouverte du loup-garou. Elle réagit instinctivement ; son coude s'enfonça dans les côtes de la créature, qui poussa un grognement.

Un rugissement la fit sursauter. Levant la tête, elle vit un second loup-garou approcher. Elle abattit le plat de sa main sur le bras de la créature, qui tomba à genoux, puis voulut lui décocher un coup de pied. Son cerveau envoya à son corps des messages désespérés : *Arrête ! Souviens-toi du cimetière.*

Buffy retint son coup et retomba maladroitement. Elle détailla les deux loups-garous et réalisa que c'étaient deux lycéens costumés.

— Euh, désolée, marmonna Buffy, vos costumes sont si réussis ! Et je suis, euh… un peu nerveuse.

Elle pivota juste à temps pour voir la foule des fans s'écarter devant leur reine, Cordélia.

— Un peu nerveuse? fit Cordélia, moqueuse. Une vraie psychopathe, oui. Tous les garçons du lycée feraient bien d'en prendre note : pour ne pas être transformé en steak haché, y a intérêt à garder ses distances. À moins que tu prennes les élèves pour de vrais loups-garous.

— On ne sait jamais quel genre de monstre peut pointer son museau le jour d'Halloween, répliqua sèchement Buffy. Ton arrivée ici, par exemple...

Là-dessus, elle tourna les talons et partit vers la bibliothèque.

— Au revoir, Buffy, X-File ambulant! cria Cordélia dans son dos.

La sortie fut saluée par les rires de ceux qui avaient trop peur de Buffy pour se moquer d'elle en face.

Mais la jeune fille se moquait de ces futilités. Elle était la Tueuse, et les railleries des adolescents comptaient pour du beurre.

Arrivée dans la bibliothèque, elle appela Giles :

— Hou hou!

— Hum, hum, répondit une voix depuis la mezzanine. Ah, c'est toi! Monte. Tes cours sont-ils finis, ou es-tu encore en train de sécher ?

Buffy vit que le bibliothécaire n'avait pas détaché son regard de l'ouvrage qu'il était en train de consulter.

— Le lycée est en flammes, Giles, dit-elle, tentant d'obtenir une réaction. (Rien.) Vous n'avez pas entendu la cloche ? Qu'est-ce qui vous préoccupe à ce point ?

Pas de réponse.

— Giles ?

— Oh ! Navré, dit-il. Je descends dans une minute.

Buffy ôta son sac à dos, se laissa tomber sur une chaise et posa ses pieds sur la table. Un rapide coup d'œil lui apprit que Rupert Giles et elle étaient seuls dans la bibliothèque. Comme d'habitude.

Depuis l'arrivée de Giles, trouver des manuels scolaires dans la bibliothèque relevait de *Mission : Impossible*. Le Gardien avait apporté sa propre collection : pas du tout le genre d'ouvrages que des parents auraient voulu voir tomber entre les mains de leurs précieux rejetons.

Giles était le Gardien ; son travail consistait à entraîner et éduquer la Tueuse, à lui apprendre tout ce dont elle avait besoin. Bref, rien de très marrant, mais Buffy aimait bien Giles. Après tout, il ne se souciait que de la protéger, même s'il était parfois barbant avec sa distraction perpétuelle, ses manies anglaises et ses discours moralisateurs. Et puis, il n'était pas trop moche pour un type qui avait l'âge de son père.

La porte de la bibliothèque s'ouvrit. Buffy sursauta, mais ce n'étaient qu'Alex et Willow.

— Je te trouve bien nerveuse, la taquina Alex.

— Je viens juste d'en discuter avec Cordélia, lâcha Buffy.

— On en a entendu parler, admit Willow. C'est une bonne chose que tu n'aies pas essayé de décapiter tes agresseurs.

— Je ferai mieux la prochaine fois, répliqua Buffy en haussant les épaules.

Derrière eux, Giles descendait enfin l'escalier, se débattant avec une pile de livres plus haute que lui.

— Ah, dit le bibliothécaire, vous êtes tous là. Parfait. Je suis au milieu d'un projet très important, mais je voulais vous briefer au sujet d'Halloween. Buffy a déjà entendu tout ça ; simplement, je ne suis pas sûr qu'elle ait écouté…

Buffy ne pouvait protester : Giles avait raison.

— Du calme, intervint Alex. Ce soir, il y a un bal masqué au *Bronze*. Buffy ne vous en a pas parlé ?

— Parlé ? Parlé de quoi ?

— Je prends une nuit de repos, annonça Buffy. Comme les morts vivants sont beaucoup plus morts que vivants depuis quelques semaines, ça ne me fera pas de mal de m'amuser un peu, patron.

— D'abord, je ne suis pas ton patron, corrigea Giles, vexé. Seulement ton mentor, si tu veux bien me faire l'honneur de me considérer comme tel. Tu es la Tueuse et moi le Gardien. Ensuite, je crains que ce que tu suggères ne soit impossible.

— Elle n'a rien suggéré, coupa Willow. Tu l'as entendue suggérer quelque chose, Alex ?

— Absolument pas. C'était plutôt une annonce ferme et définitive : chers clients, nous sommes au regret de vous informer qu'il n'y aura pas de massacre de vampires ce soir. Ce genre de truc.

Giles poussa un profond soupir.

— Écoutez, tous les trois… Vous devez comprendre que cette baisse d'activité vampirique ne signifie pas nécessairement que nous serons tranquilles ce soir. C'est en rapport avec la nature même d'Halloween.

— Et voilà, c'est reparti, marmonna Buffy entre ses dents.

— À l'époque celtique, expliqua Giles, l'année commençait en février et durait jusqu'à fin octobre. Les mois d'hiver n'étaient pas considérés comme du temps réel, mais comme une période de célébration des dieux des ténèbres, ceux que nous appelons démons ou Anciens.

« Durant cette période, nommée Samhuinn, les portes s'ouvraient entre les mondes ; les morts pouvaient se mélanger aux vivants. On donnait des fêtes en leur honneur, on préparait des offrandes pour convaincre les plus maléfiques de ne pas faire de mal aux innocents.

27

« Au fil du temps, la foi celtique a disparu, et Samhuinn s'est écourté jusqu'à ne plus durer que trois jours, du 31 octobre au 2 novembre. Mais ce soir célèbre le commencement de cette période où les forces des ténèbres se répandront sur Terre. En l'absence de rituels, rien ne pourra les contrôler.

Giles reprit son souffle et dévisagea les trois adolescents.

— Où voulez-vous en venir ? demanda Alex, buté.

Giles remonta ses lunettes sur son nez et se tourna vers la Tueuse.

— Buffy ?

Elle soupira.

— Il veut en venir à une conclusion ennuyeuse : le calme de ces dernières semaines est un indicateur à peu près aussi fiable qu'une promesse électorale, expliqua-t-elle. Ce soir, les morts se relèveront et tenteront de devenir les maîtres du monde.

— J'admets que je suis parfois distraite, intervint Willow, mais si ce genre de chose s'était produit les années précédentes, il me semble que je m'en serais rendu compte. Depuis l'arrivée de Buffy, les phénomènes étranges n'ont fait qu'empirer. Mais, avant ça, Sunnydale se trouvait déjà sur la Bouche de l'Enfer. La ville aurait dû être rasée depuis belle lurette !

— Ce n'est pas complètement faux, admit Giles.

— Attendez un peu, intervint Buffy. D'après vous, la période de Samhuinn s'est raccourcie parce que plus personne ne perpétue les traditions celtiques, n'est-ce pas ?

— Quelque chose dans ce genre, acquiesça Giles.

— Donc, triompha la jeune fille, à moins que vous n'aperceviez un cortège de druides en ville… j'irai au bal masqué.

Giles se racla la gorge. L'expression sévère de son visage disait assez clairement qu'il désapprouvait ce programme.

— Bon, je suis ouverte à la négociation, déclara Buffy, magnanime. Je resterai au *Bronze* pendant une heure ou deux, puis j'irai faire un tour dehors pour voir si tout est calme. Si c'est le cas, je retournerai m'amuser. Sinon, je ferai mon boulot de Tueuse. Ça vous va?

— Je n'ai pas le choix, se renfrogna Giles.

Alex se frotta les mains.

— Parfait. Il ne te reste plus qu'à éviter les fermes, les champs et tous les endroits où tu pourrais rencontrer un épouvantail.

Buffy fronça les sourcils.

— Qu'est-ce que les épouvantails viennent faire là-dedans? demanda-t-elle.

— Oh, c'est juste une légende locale, dit Willow. Il paraît que la pluie d'Halloween regorge de magie noire. Si elle mouille un épouvantail, et que quelqu'un s'introduit sur le territoire de celui-ci, il s'anime pour lui flanquer une bonne correction. Une correction fatale, en réalité.

— C'est étrange, s'étonna Giles. Je n'ai jamais rien lu à ce sujet, et pourtant les épouvantails sont étroitement liés à Samhain.

— Vous voulez dire « Samhuinn », corrigea Alex.

— Non, ce n'est pas tout à fait la même

chose, le détrompa Giles. Samhuinn désigne la saison des morts ou la nuit de la cérémonie. Samhain est l'esprit d'Halloween, le roi des âmes perdues. À l'origine, c'était un des démons qui peuplaient notre monde avant la naissance de l'humanité, mais les Celtes l'ont adopté et en ont fait un de leurs dieux.

— Je ne savais pas qu'on pouvait adopter un dieu, plaisanta Alex. Ça doit être nettement mieux qu'un lapin nain !

— Il n'y a pas de quoi rire, le réprimanda Giles en retournant à ses livres. Samhain est l'une des créatures les plus maléfiques qu'ait jamais connues la Terre. Je ferais bien de me remettre au travail…

Buffy haussa les épaules.

— On se voit ce soir, dit-elle à ses amis. Et faites gaffe aux épouvantails mouillés.

— Il n'y a pas de quoi rire, Buffy, gronda Alex en imitant la voix de Giles.

Elle lui décocha son plus charmant sourire.

— Mais je ne plaisantais pas.

3

En dévalant l'escalier vers la salle à manger, Buffy entendit le solo de batterie que produisait le pop-corn dans le micro-ondes. L'odeur lui donna envie de sel, de beurre et même des grains qui n'avaient pas éclaté.

Assise sur le canapé, Joyce Summers regardait *La Nuit de la terreur* en vidéo. Buffy sourit. Sa mère ne pouvait pas imaginer un instant qu'elle se délectait devant un cours de formation pour Tueuse de Vampires.

— Viens là, ma chérie, dit Joyce en tapotant le coussin à côté d'elle. Après ça, j'ai loué *Offrandes calcinées* ; il paraît que ça fait vraiment peur.

— J'aimerais bien, maman, mais je dois retrouver Alex et Willow au *Bronze*, s'excusa Buffy. Il y a un bal masqué ce soir.

— Je suis contente pour toi, ma chérie, dit-elle en se forçant à sourire. Ton amie Willow a l'air d'une fille très convenable, mais j'aimerais que tu m'en dises un peu plus au sujet de cet Alex.

Buffy leva les yeux au ciel.

— Maman, il n'y a rien entre nous ! Alex est juste un ami.

— Et tu tiens vraiment à te montrer dans cette tenue, ajouta sa mère sur un ton à la fois amusé et désapprobateur. Ce n'est pas un peu… rudimentaire ?

Joyce ne pouvait pas savoir que Buffy avait choisi cette tenue pour des raisons pratiques plutôt qu'esthétiques… Avec ses bottes noires montant jusqu'aux genoux, son short en satin et sa chemise rouge nouée au-dessus du nombril, l'Élue pourrait sauter, ruer, donner des coups de pied, trancher et embrocher avec la plus grande facilité.

Pour la vraisemblance, elle avait ajouté un bandeau sur un œil et une bouteille de bière à la main. Si quelqu'un lui posait la question, elle dirait qu'elle était déguisée en capitaine de la *Bouche de l'Enfer*, version moderne.

— Je suis une femme pirate, maman, expliqua Buffy. Comme dans *La Flibustière des Antilles*.

— Tâche seulement d'être prudente, répliqua sa mère. Je ne voudrais pas que tu t'attires des ennuis.

Bien sûr que non, songea Buffy. *Je repousserai fermement tous les garçons de seize ans et je me contenterai de tailler une bavette avec les vampires.*

En marchant jusqu'au *Bronze*, la jeune fille scrutait les environs à travers son parapluie de plastique transparent. Mais elle ne vit rien de plus dangereux que les visages grimaçants des citrouilles sous les porches, le disque de la lune à demi masqué par les nuages, et sa propre ombre glissant le long des murs.

Quand elle arriva, la pluie s'était calmée sans pour autant cesser. Elle paya son entrée au faux bossu qui gardait la porte, puis rejoignit la foule à l'intérieur.

Alex et Willow avaient raison : le soir d'Halloween, le *Bronze* était l'endroit où aller si on était trop vieux pour mendier des bonbons. Joue creuse contre queue de démon, des douzaines de sorcières, de monstres du docteur Frankenstein, de comtes Dracula, de zombies, de savants fous et de fantômes se bousculaient sur la piste de danse. Buffy aperçut même un pendu et sa branche de poirier.

Les nouveaux arrivants étaient tous trempés par la pluie ; dans l'air planait une odeur de chien mouillé. Les maquillages coulaient, les perruques se défrisaient, les costumes collaient aux corps.

Cordélia se tenait dans un coin de la grande salle, en train de vamper un faux Indien en mocassins ruisselants. L'originalité n'étant pas sa qualité première, elle avait revêtu une tenue de Morticia Addams. Buffy admit à contrecœur que ça allait bien avec ses cheveux noirs, son rouge à lèvres, son vernis à ongles, son âme et son esprit.

Cordélia et son cavalier furent interrompus par une longue silhouette masculine. Le nouveau venu portait une cape, et son visage était à moitié dissimulé par un masque semblable à celui du Fantôme de l'Opéra. Avec ses pommettes hautes et ses cheveux noirs, raides sur ses épaules, il ressemblait à un Indien. Le costume du partenaire de Cordélia avait dû l'offenser, car il se rapprochait d'un air menaçant.

Le faux Indien battit en retraite comme devant un vrai spectre. Buffy le regarda s'éloigner, puis se concentra sur son ennemie : Cordélia flirtait déjà outrageusement avec le Fantôme de l'Opéra. Elle avait posé une main sur son biceps et l'entraînait vers le bar.

Buffy se retourna pour observer la foule.

Des squelettes en carton étaient suspendus au plafond du *Bronze*; sur chaque table reposait une bougie dans un chandelier en forme de citrouille. Une machine à brouillard créait une atmosphère digne du cimetière le plus effrayant, tandis que sur la piste, les danseurs bougeaient avec des gestes saccadés comme ceux des zombies.

Willow et Alex n'étaient pas encore arrivés, ce qui ennuyait beaucoup Buffy. Sa réputation de psychopathe s'était répandue à Sunnydale encore plus vite qu'à Emery, son ancien lycée. Elle savait ce que c'était de rester seule dans son coin, et elle n'avait pas envie de renouveler l'expérience.

— Salut, dit enfin Willow derrière elle.

Buffy se retourna… et n'en crut pas ses yeux.

Alex et Willow lui faisaient face. Le premier, vêtu d'un costume sombre, avait plaqué ses cheveux en arrière; il semblait plutôt gamin pour un jeune cadre dynamique. Quant à Willow, elle portait un tailleur bleu dont la jupe lui tombait jusqu'aux chevilles, qu'elle avait assorti à des talons plats. Elle s'était fait un henné rouge et avait attaché ses cheveux avec une barrette en écaille de tortue.

— Des comptables! Comme c'est original, ironisa Buffy. Si seulement j'y avais pensé, je me serais trouvé un petit ami en moins de deux.

Willow fronça les sourcils.

— Nous ne sommes pas déguisés en comptables, protesta-t-elle.

Alex eut l'air encore plus mortifié.

— Mulder et Scully. De la série *X-Files*, expliqua-t-il. (Il brandit un faux insigne.)

FBI. Vous êtes en état d'arrestation pour meurtre.

Buffy éclata de rire.

— C'est parfait! Moi, je me contenterai d'être une reine pirate.

Elle prit une pose avantageuse.

— Je pensais que tu te déguiserais en vampire, ajouta Willow. Pour le clin d'œil.

— Je ne veux pas tomber dans l'autoparodie, expliqua Buffy.

— Et moi qui espérais qu'on verrait enfin ton costume de Tueuse! s'exclama Alex.

Buffy haussa les épaules.

— Je l'aurais bien mis, mais, comme tu dois t'en douter, il est difficile de trouver des accessoires qui vont avec un bikini en léopard.

— Moi, je suis ce que je suis, déclara Willow, un point c'est tout.

Alex se mit à observer les cheveux de Willow. Finalement, une lueur de compréhension s'alluma dans son regard.

— Willow, tu as les cheveux rouges! Comme une voiture de pompier, une Porsche ou…

— … du sang, acheva une voix grave.

4

Épaule contre épaule, hanche contre hanche, un vampire de chair froide et de sang gelé venait de bousculer Buffy en se dirigeant vers une table, un verre à la main.

— On se calme et on va se battre dehors, gronda Buffy entre ses dents.

Elle lui saisit le bras.

— Oh, par pitié ! grommela le vampire en se dégageant.

— Hé, vous m'avez marché sur le pied ! geignit une Scarlett O'Hara derrière lui.

— C'est Samhuinn, la nuit où tous les démons sont libres d'arpenter le monde, lâcha-t-il d'un air dédaigneux.

—Apparemment, il a lu le même bouquin que Giles, commenta Alex.

— Une nuit où nous nous reposons pendant que les autres chassent, reprit le vampire.

— Qui ça, « nous » ? Nous, les paresseux ?
Ceux qui ont passé leur commande chez
Pizza Hut ? railla Buffy.

— Nous, les vampires, clama-t-il fièrement.

— Tu veux dire que les buveurs de sang
sont de repos ce soir ?

Buffy pencha la tête sur le côté et posa
une main sur la fermeture Éclair de son sac
à dos. Au cas où la créature aurait eu faim,
elle tenait à sa disposition un bon gros pieu.

— Mais si c'est une nuit sacrée, pourquoi n'es-tu pas en train de prier dans ton
église en compagnie de ton gourou ?

Le vampire plissa les yeux.

— Tu te moques de nous. Tu sais très bien
que sans ce séisme mon maître ne serait pas
prisonnier vingt mètres sous terre…

Il évoquait le chef de son culte, qui comme
beaucoup de mortels avait émigré aux États-
Unis dans l'espoir de décrocher le gros lot :
ouvrir un portail dimensionnel qui lâcherait
sur Terre tous les démons de l'enfer, dont
ses fidèles. Malheureusement pour lui, il
avait compté sans les catastrophes naturelles

et les effets pervers de la magie. Depuis, il passait son temps à rouspéter dans son église effondrée.

— ... et nous régnerions tous ensemble sur Terre, acheva le vampire.

Regardant autour d'elle, Buffy repéra une autre créature à la dentition hypertrophiée. Puis une autre, et une autre encore. Pour Halloween, le *Bronze* s'était transformé en véritable Vampireland !

— Que faites-vous ici ce soir ? Vous êtes venus prendre des mesures pour les rideaux ? s'enquit la jeune fille, moqueuse.

Le vampire la foudroya du regard.

— Nous sommes là pour nous amuser, comme vous.

— Une soirée sympa, pour moi, ne consiste pas à égorger les gens pour les vider de leur sang, objecta Buffy.

Elle glissa une main dans son sac ; ses doigts se refermèrent autour de la croix qu'elle avait préféré ne pas porter, parce que ça jurait avec son costume.

Le vampire lui sourit et leva son verre comme pour trinquer.

— Tu devrais essayer au moins une fois, lui conseilla-t-il.

Willow porta une main à sa bouche.

— C'est du sang humain ? Oh, mon Dieu, je crois que je vais être malade.

Buffy leva le menton.

— Quelqu'un que je connais ? demanda-t-elle.

Cordélia, avec un peu de chance.

— Oh, juste un amuse-gueule, fit le vampire.

Il porta le verre à sa bouche et but une longue gorgée.

— Un bouquet délicat. Jeune, frais, innocent...

Pas Cordélia, donc.

Buffy agrippa son pieu et fixa le vampire.

— Si nous étions seuls...

— Mais nous ne le sommes pas.

Il posa son verre vide et se tapota les lèvres du bout des doigts.

— Je te l'ai dit, nous sommes venus pour célébrer Samhuinn. Que dirais-tu de faire une trêve ?

— Pour que tu la rompes à la première occasion ? s'indigna Buffy.

Elle fit un pas vers lui. Cette fois, il ne recula pas.

— Je te donne ma parole que nous respecterons la trêve.

— Tu crois vraiment que je vais te faire confiance ?

Le vampire eut un sourire qui aurait enchanté un dentiste.

— Je crois que tu devrais profiter de cette soirée, parce qu'elle sera la dernière pour toi. Demain, nous te tuerons.

— À ta place, ricana Buffy, je ne compterais pas trop là-dessus.

Le vampire porta la main à son front en guise de salut.

— Mais si, j'y compte beaucoup. *Nous* y comptons beaucoup, corrigea-t-il.

— Moi aussi, je sais compter. Je vais te le montrer tout de suite. Si tu prends tes jambes à ton cou, tu as une petite chance de survivre à cette nuit, gronda Buffy. Dix, neuf, huit, sept…

— Ne me menace pas, se rebiffa le vampire, ou je…

— Ou tu me tailleras en pièces ? Et ta parole ?

Le vampire marmonna quelque chose et s'éloigna.

— C'est ça, et n'y reviens pas ! cria Alex en brandissant le poing.

— Pas la peine de t'énerver comme ça : je maîtrise la situation, dit Buffy en lui tapotant le bras. Espérons que tout se passera pour le mieux, et tentons de nous amuser. D'accord ?

Le visage d'Alex s'éclaira.

— Tes désirs sont des ordres, ô grande Tueuse. Tu veux danser ?

Avant de se diriger vers la piste, Buffy ramassa le verre dans lequel avait bu le vampire et le renifla.

— Ce n'était pas du sang qu'il y avait là-dedans, déclara-t-elle. Il s'est bien moqué de nous.

Alex agita les bras et se dandina maladroitement façon disco.

— Buffy ? répéta-t-il. Tu veux danser ?

— C'est une plaisanterie, j'espère, dit lentement la jeune fille, en fixant un couple de l'autre côté de la salle.

— Un simple « non » aurait suffi, protesta Alex, vexé.

— Quoi? Oh, je ne parlais pas de toi. (Elle désigna l'objet de ses préoccupations.) C'est Jean-Luc Picard, l'élève français qui participe au programme d'échange linguistique. Regardez avec qui il est, dit Buffy.

— Eh bien, tu t'intéresses aux ragots, maintenant? s'étonna Alex.

— Je regarde, annonça Willow, et pour l'instant, je ne vois rien qui me coupe le souffle.

— La fille avec qui il bavarde… c'est une vampire! expliqua Buffy en ôtant son bandeau.

Sans tourner la tête, elle saisit le sac à dos contenant son matériel de Tueuse.

— On dirait qu'ils se dirigent vers l'escalier de la cave.

De fait, la vampire, splendide dans son costume de Cléopâtre, menait Jean-Luc par le bout du nez.

— Comment sais-tu que c'en est une? s'enquit Willow, curieuse. Moi, je n'aurais jamais deviné.

— Giles m'a appris à repérer les indices. Par exemple, cette fille est très pâle, et elle marche à la façon d'un prédateur.

45

— Cordélia aussi, fit remarquer Alex et, si tu la tues, nous aurons de sacrés problèmes.

— Ou une médaille, répliqua Willow. (Elle frissonna.) Que vas-tu faire, Buffy?

— Interrompre un moment très excitant.

— On t'accompagne, proposa Alex.

— Pas question. Vous restez ici, et vous vous assurez que personne ne me suit.

Buffy prit une inspiration. Enfin un peu d'action pour Halloween!

— Après tout, ajouta-t-elle, ça pourrait être un plan pour m'attirer dans la cave.

— Dans ce cas, dit nerveusement Willow, n'y va pas. Jean-Luc est un grand garçon. Il arrivera à la repousser.

Buffy grimaça.

— Tu sais bien que je ne peux pas faire ça. J'ai des responsabilités. (Elle leva le menton et prit un accent anglais.) De toute ma génération, je suis la seule et unique Tueuse.

— Bah, soupira Alex. Certaines filles feraient n'importe quoi pour ne pas danser avec moi.

— Mais pas toutes, murmura Willow.

— La majorité.

46

— Danser, c'est une bonne idée, intervint Buffy. Vous pourriez faire un rock près de l'escalier de la cave et monter la garde du même coup.

— Puisque le devoir nous appelle… Parfois, il faut savoir faire des sacrifices, dit très sérieusement Willow en entraînant Alex vers la piste de danse.

Buffy ne quitta pas du regard la porte de la cave. Celle-ci se referma derrière Jean-Luc. La jeune fille pressa le pas, atteignit la porte et l'ouvrit. L'escalier descendait en formant un angle abrupt. Au-dessus de sa tête, une ampoule nue avait claqué… ou avait été dévissée.

Buffy ne pouvait pas éclairer son chemin au risque d'avertir Cléopâtre de sa présence. Elle descendit les marches une à une, aussi silencieuse qu'une nappe de brouillard. Les battements de son cœur résonnaient à ses oreilles. Elle s'inquiétait pour Willow et Alex, et même pour l'élève français auquel elle n'avait jamais adressé la parole.

Une odeur d'eau croupie se mêlait à celle de la poussière et à un léger parfum de femme. Buffy entendit un rire.

Alors qu'elle atteignait le bas de l'escalier, elle vit la lumière des bougies se refléter sur les murs. De la musique douce jouait en sourdine. Puis elle entendit les gémissements.

Saisissant sa lampe-torche, Buffy l'alluma et la braqua devant elle. Il y avait là cinq vampires, et cinq victimes humaines. Surpris, ils levèrent la tête et sifflèrent en découvrant l'intruse. L'un d'eux était celui qui, un quart d'heure plus tôt, avait proposé une trêve à Buffy. Un filet de sang coulait au coin de ses lèvres.

— Ainsi, nous nous retrouvons, Obi-Wan, dit Buffy en plongeant la main dans son sac.

Elle en sortit une croix et un pieu.

— Saisissez-la ! cria le vampire.

Les cinq créatures se dirigèrent vers Buffy tel un mur de ténèbres vivantes.

En haut de l'escalier, la porte claqua.

5

Willow jetait des regards nerveux à la porte de la cave. Buffy n'avait toujours pas réapparu.

— On devrait peut-être aller voir ce qui se passe, suggéra-t-elle.

Alex réfléchit en se mordant les lèvres.

— Elle nous a dit de rester ici, fit-il remarquer. Tu sais comme elle peut se mettre en rogne quand on viole le code de conduite des assistants Tueurs.

— Elle s'inquiète pour nous, c'est tout, répliqua Willow. Elle a des tas de pouvoirs pour se défendre, mais nous ne sommes que des humains normaux.

— Parfois, je me le demande, grommela Alex.

Sa compagne eut un geste d'impatience.

— Tu vois très bien ce que je veux dire. Parfois, nous pouvons l'aider ; parfois, nous ne faisons que la gêner. Combien de fois Superman a-t-il failli mourir parce qu'il se préoccupait trop de Jimmy et de Lois?

— Lequel des deux suis-je? plaisanta Alex.

Willow lui jeta un regard sévère. Le silence retomba entre eux pendant quelques secondes. Dehors, le vent avait cessé de souffler. Willow ouvrit la bouche pour parler, mais se ravisa.

— Quoi? s'enquit Alex.

— Rien.

— Tu allais dire quelque chose. Je t'écoute, insista le jeune homme.

— Je pense que nous devrions aller voir, lâcha Willow. Elle a peut-être des problèmes. Si nous ne l'aidons pas, personne ne le fera. Tous les autres la prennent pour une cinglée.

— Tu as raison, acquiesça Alex.

D'un pas résolu, il se dirigea vers la porte de la cave, Willow sur les talons.

Soudain un couple leur barra le chemin. Le type blond était absolument craquant dans son costume de cow-boy. Il avait des pattes de chaque côté des joues, ce qui lui donnait un certain charme. Ses yeux bleu glacier firent aussitôt fondre la jeune fille.

— Tu veux danser? lui demanda-t-il.

Willow jeta un coup d'œil à la ronde pour s'assurer que c'était bien à elle qu'il parlait. Puis un sourire fendit son visage.

« Pourquoi pas ? » allait-elle répondre, lorsqu'elle fixa la fille qui accompagnait le cow-boy. Celle-ci était déguisée en danseuse de saloon, avec de longs cheveux rouges et des yeux couleur chocolat qui dévoraient littéralement Alex.

Or, Willow aimait Alex, et elle n'appréciait pas du tout qu'une autre fille le dévisage avec ce regard de prédateur. Oubliant son cowboy, elle chercha quelque chose d'intelligent à dire pour détourner l'attention d'Alex.

La fille portait des bottes de cuir à franges si démodées que même Willow n'aurait pas osé se montrer en public avec. Elle fit alors le rapprochement avec les pattes blondes du type.

— Alex, dit-elle en saisissant le bras de son compagnon.

— Ouais, grogna-t-il sans détacher son regard de la danseuse.

— Alex, répéta Willow d'une voix pressante. Je pense qu'ils sont un peu trop vieux pour nous.

— Qu'est-ce que tu racontes ?

Willow se dressa sur la pointe des pieds pour lui chuchoter à l'oreille :

— Ils sont morts, andouille.

Le cow-boy et la danseuse leur firent un large sourire, découvrant leurs canines pointues.

— Alors ? dit le cow-boy en dévisageant Willow comme si elle était un filet mignon. Tu veux danser, ou pas ?

— Je choisis l'option numéro deux : non, répondit-elle.

— Pareil pour moi, renchérit Alex. Désolé.

Ils voulurent s'éloigner, mais ils n'avaient pas fait trois pas que les vampires se glissèrent entre eux et leur saisirent le bras sans douceur.

— On va sortir ensemble, chuchota le cow-boy à l'oreille de Willow. Par la porte de devant. Si tu cries, je te bute ici et maintenant. C'est compris ?

— Je préférerais plus tard, rétorqua la jeune fille. On pourrait se retrouver ici, disons dans une heure, et tu me reparleras de tout ça, d'accord ? Ce serait mieux pour nous.

— Ce qui serait mieux pour vous, c'est de vous taire, siffla la danseuse de saloon en entraînant Alex vers la sortie.

— Attendez un peu ! protesta Alex.

La fille prit un air menaçant.

— Un mot de plus et tu es mort, marmonna-t-elle entre ses dents. Nous ne bluffons pas.

— Oh, je le vois bien. Mais vous êtes en train de commettre une erreur si monstrueuse que j'ai pitié de vous. Je veux simplement vous éviter de finir en brochettes.

— Et encore, renchérit Willow, espérant que son compagnon savait ce qu'il faisait, « monstrueuse » est un mot faible.

Le cow-boy lui serra le poignet si fort que ses os faillirent craquer.

— De quoi parlez-vous ?

— C'est très simple, dit Alex. Vous avez l'air plutôt sympa, pour des démons buveurs de sang. (Il se tourna vers la danseuse.) Toi, par exemple, tu es la plus jolie fille qui m'ait jamais adressé la parole.

La vampire parut flattée de ce compliment.

— Mais navré de vous décevoir, nous sommes des amis de la Tueuse. Et elle nous a interdit de fréquenter les gens comme vous.

Les deux vampires se regardèrent comme si on venait de les gifler.

— La Tueuse ? chuchota la fille.

— Exact, acquiesça Alex, chez qui l'espoir renaissait. C'est pour ça que vous feriez mieux d'aller jouer ailleurs. Si vous vous barrez tout de suite, l'Élue vous épargnera peut-être jusqu'à demain soir.

Les vampires dévisagèrent le jeune homme d'un air perplexe, sans doute pour déterminer s'il bluffait ou non. Finalement, ils décidèrent de ne pas prendre de risque.

— Nous n'avons pas dit notre dernier mot, cracha le cow-boy.

Il s'éloigna et se fondit dans la foule avec la danseuse.

— Des promesses, toujours des promesses, grogna Alex.

— Et tenez-vous bien ! cria Willow derrière eux. Ne mordez pas n'importe qui !

— Un interlude plutôt intéressant, laissa tomber Alex.

— Tu l'as dit, gloussa Willow. Beau travail.

Elle s'essuya le front d'un revers de main. Tout de même, elle avait eu sacrément peur.

— On devrait peut-être attendre Buffy, suggéra-t-elle.

— Idée fabuleuse. Adoptée.

Dans la cave du *Bronze*, les cinq vampires — trois mâles et deux femelles — se relevèrent, abandonnant les lycéens qui leur avaient involontairement servi de donneurs de sang. Tous respiraient encore. Buffy poussa un soupir de soulagement.

— Tu tombes à un très mauvais moment, Tueuse, siffla le vampire qui lui avait proposé une trêve.

— Je sais, je sais : si je vous avais prévenus de ma visite, vous auriez fait un gâteau. Navrée d'interrompre votre petite dégustation, mais n'avez-vous jamais entendu parler de la Croix-Rouge ?

— Du sang froid, figé, cracha une des vampires. Nous ne mendions pas notre nourriture. La chaleur et la vie, nous les prenons de force !

Poussant un rugissement, elle s'élança vers Buffy. La jeune fille brandit sa croix.

— Je ne crois pas en ton Dieu, Tueuse ! ricana la créature.

Buffy tenait son pieu dans la main gauche et la croix dans la droite. Quand la vampire fut presque sur elle, elle s'accroupit et lui décocha un uppercut à l'estomac.

Coupée net dans son élan, la créature se plia en deux. Buffy en profita pour se relever et lui flanquer un coup de pied en pleine figure. Son adversaire s'écroula sur le dos. La jeune fille s'assit sur sa poitrine pour l'immobiliser, sans perdre de vue les quatre autres vampires.

— Même si tu ne crois pas en Dieu, dit Buffy, Dieu croit en toi.

Elle abattit son crucifix sur le visage de la vampire, qui s'enflamma. Puis, sous les cris horrifiés des autres créatures, elle lui transperça le cœur et se releva avant que sa victime ne se change en un petit tas de cendres.

— Quelqu'un peut-il aller me chercher la balayette? railla-t-elle en toisant les vampires.

Celui avec qui elle avait discuté un peu plus tôt jeta un regard inquiet à sa croix.

— On pourrait peut-être renégocier une trêve, suggéra-t-il.

— Pourquoi pas ? acquiesça Buffy, conciliante.

Les créatures la dévisagèrent, surprises.

— Vraiment ?

— Non. Je plaisantais, avoua-t-elle.

Elle commençait à énerver son interlocuteur, qui grogna en découvrant ses crocs. Sans détacher leurs yeux du crucifix, les quatre vampires avancèrent lentement vers Buffy.

— Navrée si ce truc vous indispose, dit la jeune fille. Je vais le mettre de côté jusqu'à ce que nous en ayons fini.

Au grand étonnement des créatures, elle jeta la croix sur le ciment, à mi-chemin d'eux et elle. L'objet émit un petit bruit en touchant le sol et s'immobilisa.

— À présent, et à moins que vous ne vous souveniez d'un rendez-vous urgent chez le dentiste, je suggère que nous passions directement à la bagarre finale. C'est que j'ai hâte de retourner avec mes copains, expliqua Buffy en faisant passer le pieu dans sa main droite.

Un sourire se dessina sur le visage de son interlocuteur.

— Détruisez-la ! ordonna-t-il.

Les vampires se précipitèrent sur elle avec un bel ensemble. Buffy plia les genoux et se propulsa dans les airs, beaucoup plus haut qu'une fille normale n'en aurait été capable. Elle empoigna la grosse canalisation qui courait le long du plafond, balança ses jambes et effectua un saut périlleux qui la fit atterrir derrière ses adversaires.

Ceux-ci pivotèrent pour lui faire face, mais la manœuvre les avait désorientés. Buffy sauta à nouveau, pour décocher un coup de pied qui faillit arracher la tête d'un des vampires. Le monstre s'effondra contre un de ses camarades.

La jeune fille lui bondit dessus, l'empoigna par le col et se servit de lui comme d'un bouclier pendant qu'elle enfonçait son pieu dans la poitrine de la deuxième créature. Dès que celle-ci fut tombée en poussière, Buffy répéta l'opération avec le vampire qu'elle tenait.

— Fini de jouer, maintenant, grogna le dernier vampire mâle.

Buffy pivota pour l'affronter. Il ne restait plus que lui et une femelle qui approchait derrière elle, espérant la prendre à revers. Mais Buffy percevait chacun de ses mouvements. Elle recula et, à deux mains, poussa le pieu sous son aisselle gauche, droit dans la poitrine de la créature qui s'apprêtait à lui lacérer la gorge.

Si elle continuait comme ça, Buffy n'allait pas tarder à se bâtir une sacrée réputation auprès des monstres locaux.

Le vampire survivant passa la langue sur ses crocs tachés de sang.

—Tu as déjà entendu parler d'une super-invention appelée dentifrice ? interrogea Buffy. Tu devrais essayer.

— C'est la dernière fois que tu te moques de moi, gronda le vampire.

— Je suis tout à fait d'accord, acquiesça la jeune fille.

Son ennemi poussa un hurlement de rage et saisit Buffy à bras-le-corps. La jeune fille eut beau se débattre, elle sentit bientôt le souffle lui manquer, et inscrivit mentalement ses côtes sur la liste des espèces en danger. Écrasée contre son adversaire, elle eut du mal à dégager son pieu.

Enfin, elle parvint à lui enfoncer dans la nuque. Le vampire poussa un cri de rage et la lâcha. Buffy tomba sur le sol et se releva promptement tandis que le monstre se jetait sur elle une fois de plus.

Elle prit ses jambes à son cou et, sans ralentir, elle bondit, planta ses pieds contre le mur de la cave et effectua un saut périlleux arrière.

La créature alla s'écraser sur le béton. Buffy en profita pour lui plonger son pieu dans le cœur.

À peine essoufflée, elle rangea tranquillement ses petites affaires (la croix et le pieu) dans son sac de Tueuse.

Au fond de la cave, les cinq ex-futures victimes respiraient toujours. La jeune fille vérifia qu'aucune n'avait perdu trop de sang. Les adolescents ne tarderaient pas à se réveiller.

Buffy se sentait plus en forme que jamais.

— C'est nettement mieux qu'un cours d'aérobic, dit-elle.

Puis elle rejoignit ses amis.

6

Par une fenêtre de la bibliothèque, Giles observait les alentours du lycée. Il avait travaillé d'arrache-pied pendant tout l'après-midi et une bonne partie de la soirée, sans rien découvrir qui confirme ses soupçons.

Depuis qu'Alex et Willow avaient parlé à Buffy de la légende locale concernant les épouvantails et la pluie d'Halloween, le Gardien était tourmenté par un mauvais pressentiment. Il lui semblait avoir lu quelque chose au sujet de Samhain, l'esprit d'Halloween, et de son lien avec les épouvantails. Mais il n'avait pas réussi à retrouver le texte.

Giles tourna le dos à la fenêtre, traversa la bibliothèque et referma le livre sur son bureau.

Ses yeux se posèrent sur une pile de petits volumes intitulés *Journal du Gardien*. Lui-même en écrivait un, dans lequel il consignait les exploits de Buffy, mais ceux qui se trouvaient là avaient appartenu à ses prédécesseurs.

— Hum, marmonna-t-il. On ne sait jamais.

Il attira à lui la pile de cahiers, saisit celui du dessus et lut.

— C'était très tonique, déclara Buffy en rejoignant ses amis près du bar.

— Je suppose qu'il n'y a plus aucun fauteur de troubles dans un rayon de cinq kilomètres ? s'enquit Willow.

Buffy sourit, regarda autour d'elle et aperçut une demi-douzaine de vampires. Tant qu'elle pouvait garder un œil sur eux, elle ne les laissait pas gâcher sa soirée.

Les vampires ne semblaient pas au courant de ce qui s'était passé dans la cave, à moins qu'ils ne se fichent du sort de leurs congénères. Après tout, ils n'étaient pas réputés pour leurs débordements affectifs.

— Vous faites bien de me dire que c'est le patron qui a fermé la porte de la cave, soupira Buffy. J'ai failli croire que c'était un coup monté contre moi. Tout devrait bien se passer maintenant, ajouta-t-elle, rassurante.

— Tu n'es pas trop rouillée ? demanda Willow pour changer de sujet. Depuis le temps que tu n'as pas eu l'occasion de te battre… Je suppose que Jean-Luc va bien ?

— La tête lui tournera pendant un petit moment, mais c'est tout, confirma Buffy. Pareil pour les autres. Et je ne me sens pas rouillée du tout, bien au contraire. Je n'ai jamais été dans une telle forme !

— Les autres ? releva Willow. Combien y en avait-il là-dessous ?

— Cinq vampires, cinq victimes, dit Buffy. Ces types ne sont pas très partageurs.

— Cinq ? s'étrangla Alex. Tu aurais dû nous laisser t'accompagner.

— Je ne pouvais pas deviner. Et de toute façon, je m'en suis très bien sortie, affirma Buffy.

Ce qui était la stricte vérité.

— Si tu le dis… Tu ne veux pas que je te passe ma veste ? suggéra Alex. Ta chemise est pleine de sang. Je sais bien que le rouge est à la mode, mais ça ne va pas très bien avec ton costume de pirate.

Buffy baissa les yeux vers sa chemise et prit un air dégoûté. Elle remercia distraitement Alex et enfila le vêtement qu'il lui tendait.

— C'est beaucoup mieux comme ça, approuva Willow.

Le moment était venu de mettre en œuvre les stratégies d'intégration et de se couler dans le moule.

Buffy commença à se trémousser sur la musique des Enfants de la Nuit. Le chanteur et son groupe n'auraient pas dépareillé dans un festival grunge. À leur crédit, les musiciens avaient fait un effort vestimentaire. Mais leurs chansons avaient cinq ans de retard sur ce qu'on passait à la radio.

Dommage, parce qu'ils étaient les meilleurs que Buffy ait entendus au *Bronze* jusque-là. Cela dit, elle habitait à Sunnydale. Si le paradis du rock'n roll existait, on devait y trouver des groupes super. Ici, c'était juste l'enfer du rock'n roll, et on devait s'y contenter d'une musique médiocre.

Pourtant, Buffy se sentait en pleine forme, et elle n'allait pas laisser ce genre de considérations lui gâcher la soirée. Il pleuvait des vampires, alléluia !

7

Ayant repéré une fille très mignonne qu'aucun d'entre eux ne connaissait, et après avoir reçu l'approbation de Buffy (« Tu peux y aller, elle est vivante »), Alex s'était dirigé vers elle pour l'inviter à danser. Ou, du moins, l'inviter à le regarder s'agiter.

Bizarrement, ni Buffy ni Willow n'avaient été très surprises par le refus de la belle.

— Je ne comprends pas les femmes, geignit Alex en se hissant sur un tabouret près de ses amies.

Celles-ci le dévisagèrent en haussant les sourcils.

— Je ne parle pas de vous, se reprit-il. Vous n'êtes pas vraiment des femmes.

Réalisant qu'il avait gaffé, il bafouilla :

— Je veux dire, vous êtes mes copines, pas ces nanas superficielles qui ne s'inté-

ressent qu'à la mode et… Vous comprenez ?
Vous représentez une sorte de… euh…
d'idéal féminin du nouveau millénaire. Voilà.
Les autres sont des sorcières. Cordélia, pas
bien. Buffy et Willow, super.

Il jeta un regard timide aux deux filles.

— Je ne voudrais pas que vous vous fassiez
de fausses idées à mon sujet, acheva-t-il
piteusement.

— Des idées, nous ? Pas du tout ! mentit
Buffy.

Elle échangea un regard avec Willow ;
chacune d'elles saisit une oreille d'Alex et
tira dessus.

— Aïeeee ! protesta-t-il.

— Tu dépasses les bornes, rouspéta Willow. La prochaine fois, nous ne ferons pas
preuve d'autant de clémence.

— Lâchez-moi, je vous en prie. Vous savez
bien que je vous adore.

Les filles le lâchèrent ; il se frotta les oreilles
avec précaution, comme s'il craignait qu'elles
ne lui restent dans les mains.

— Puisque Buffy a sauvé la soirée, on va
enfin pouvoir profiter du bal, déclara Willow,
histoire de changer de sujet.

— Je suis pour, affirma vigoureusement Buffy. J'en ai ma claque des surprises d'Halloween.

— Concentrons-nous plutôt sur les sucreries, suggéra Alex.

— Excellente idée. J'entends une tablette de chocolat en perdition qui m'appelle au secours, déclara Willow.

Ses amis éclatèrent de rire. Ils se dirigèrent tous les trois vers le buffet. À cet instant, la porte d'entrée claqua et M. O'Leary pénétra dans le club.

Glenn O'Leary était le cinglé du coin. Toute la ville pensait qu'il lui manquait deux ou trois cases, voire deux ou trois dizaines de cases.

Il se mit à abreuver la foule de paroles presque inintelligibles à cause de son accent irlandais. Très convaincant dans le rôle du lunatique de service.

— Ils sont revenus nous chercher ! hurlat-il en brandissant les poings. Les morts se relèvent de leur tombe ; ils jaillissent de la terre tout imbibés de pluie d'Halloween !

— Tant pis pour les bonbons, soupira Buffy, dépitée.

Alors que les Enfants de la Nuit se remettaient à jouer, M. O'Leary laissa retomber ses bras et baissa la tête d'un air abattu.

— Aussi sûr que mes ancêtres sont irlandais, ils nous emporteront tous !

Les clients du *Bronze* se désintéressaient déjà de lui.

Le vieil homme se dirigea vers la personne la plus proche, qui n'était pas un humain mais un vampire. Avec son blouson de cuir et ses cheveux gominés, la créature ressemblait à John Travolta dans *Grease*. O'Leary lui saisit le bras.

— Qu'est-ce que vous dites, grand-père ?

— Je dis que les morts se relèvent ! Ils seront bientôt parmi nous !

— Ça fait longtemps que vous vivez ici ? demanda le vampire, sarcastique.

— Ne te moque pas de moi, mon gars, protesta O'Leary. C'est tout juste si j'ai réussi à m'échapper pour vous prévenir ! Pour ton information, ça fait vingt ans que j'habite à Sunnydale.

— Dans ce cas, répliqua le vampire, vous devriez savoir qu'ici les morts passent leur temps à se relever de leurs tombes. C'est grâce à eux que Sunnydale est indiquée sur les cartes.

— Je t'ai dit de ne pas te moquer de moi! s'égosilla O'Leary. Je l'ai vu de mes propres yeux! Ils jaillissaient de la terre, déambulaient dans le cimetière à la recherche de Dieu sait quoi!

Le vampire haussa les épaules, se dégagea et s'éloigna, alors que les clients faisaient de leur mieux pour ignorer le vieux fou.

Buffy éprouvait de la pitié pour M. O'Leary. D'une certaine façon, ils étaient pareils, elle et lui. Les gens normaux ne voulaient pas entendre ce qu'ils avaient à dire; ils préféraient les traiter de cinglés plutôt que de regarder la vérité en face. Et que Buffy leur ait sauvé la mise plusieurs fois n'y changeait rien.

— Ce n'est pas que je meure d'envie d'en parler, soupira-t-elle, mais avez-vous envisagé la très déprimante possibilité que ce type ne soit pas aussi fou que tout le monde veut bien le croire?

Willow et Alex se regardèrent, embarrassés.

— Tu sais ce que je déteste le plus ? demanda Willow.

— La même chose que moi, dit son compagnon : tu détestes que Buffy ait raison.

— Parce que, en général, reprit Willow, ça précède de peu l'apparition d'un cadavre saigné à blanc, l'éventration d'un honnête citoyen, ou une petite scène de cannibalisme.

— La prochaine fois, renifla Buffy, je ne vous dirai rien du tout. Si un démon ou un gorille tueur en série déboule dans cette ville, je vous rayerai de la liste des personnes à prévenir. Ça vous apprendra !

— Pas si vite ! protesta Alex. Tant qu'à être régulièrement assailli par des affreux, je préfère qu'on m'avertisse. De toute façon, tu ne peux pas nous renvoyer : nous sommes les seuls membres de ton fan-club.

— Et toi, le phare de la vérité dans nos ténèbres, ajouta Willow en écarquillant des yeux innocents. (Elle redevint sérieuse.) Moi, je pense que ce sont tous les autres qu'on devrait traiter de cinglés. Ils refusent de voir des événements qui se déroulent sous leurs yeux ! Avec tous les trucs bizarres qui se passent ici, je m'étonne qu'on ne nous ait pas déjà envoyé Mulder et Scully !

— Je ne voudrais surtout pas jouer les rabat-joie, sourit Buffy, mais ils n'existent pas : ce sont les personnages d'une série télé.

Willow secoua la tête.

— Tu vois très bien ce que je veux dire, dit-elle sans s'offenser. Giles m'a demandé de chercher sur Internet des informations sur la Bouche de l'Enfer. Toutes les histoires y sont — les morts atroces, les disparitions —, mais personne n'a encore relié les faits entre eux.

— Parce que personne ne le veut vraiment, précisa Buffy.

Elle jeta un coup d'œil en direction de l'Irlandais.

— Il est peut-être temps que la Tueuse de Vampires ait une petite conversation avec M. O'Leary, murmura-t-elle.

— Ils sortent de terre ! hurlait le vieil homme.

— Bonsoir, Glenn, le salua un type d'une quarantaine d'années avec une queue de cheval, vêtu d'un jean propre et d'un T-shirt.

— Pourquoi ne vous asseyez-vous pas ? Je vous offre un irish coffee, dit-il en l'entraînant vers le bar.

Willow désigna le nouveau venu.

— C'est Nick Daniels, l'assistant de la directrice du *Bronze*, expliqua-t-elle à Buffy. (Elle baissa la voix.) Autrefois, il a suivi les cours de M. O'Leary… Comme beaucoup de gens ici. (Elle poussa un soupir.) Mais le vieux s'est fait renvoyer du lycée il y a dix ou onze ans.

— Un irish coffee ! s'étrangla l'Irlandais. Tout ce que je veux, c'est qu'on m'écoute !

— C'est bien ce que je fais, murmura Buffy.

Elle jeta un coup d'œil à ses amis et grimaça.

— Apparemment, il faut que je reprenne du service. Vous voulez bien garder mon sac ? demanda-t-elle en descendant de son tabouret.

— Pas de problème, lui assura Alex. On peut fouiller dedans ?

Buffy haussa les épaules.

— Bien sûr. Amusez-vous bien.

Alors qu'elle s'éloignait, elle entendit Alex dire à Willow :

— Pauvre fille. Pas étonnant qu'elle n'ait pas de petit copain. Tu l'imagines se tenir tranquille pendant toute une séance de ciné ?

— Si je comprends bien, tu ne voudrais pas sortir avec elle ? interrogea Willow.

— Tu plaisantes ! se récria Alex. Je me taperais tous les films de Meg Ryan d'affilée si je pensais avoir une chance.

Buffy entendit Willow soupirer, et eut envie de flanquer une bonne claque à Alex.

— ... Des zombies partout, était en train de dire M. O'Leary à Nick Daniels, tandis que l'assistant versait de la crème fouettée dans son verre. Tu m'écoutes, dis ?

— Monsieur O'Leary ? appela Buffy dans son dos.

Le vieil homme se retourna. En la voyant, il haussa les sourcils, puis il se pencha comme pour mieux la détailler ; ses lèvres s'entrouvrirent sur une exclamation silencieuse.

8

Quelque chose passait entre eux, un lien fugace mais aussi réel qu'un courant électrique à basse tension. M. O'Leary dut le sentir, car il sursauta. Sans quitter Buffy du regard, il saisit son verre et but une gorgée. Sa main tremblait.

— Qui êtes-vous? demanda-t-il lentement.

— Je m'appelle Buffy, Buffy Summers. Je... je m'intéresse à ce que vous dites. À propos du cimetière.

— Nick, mon garçon, dit O'Leary, voudrais-tu utiliser ta jolie machine pour préparer un café à mon amie Buffy Summers?

Daniels regarda la jeune fille.

— Au lait, corrigea celle-ci. Décaféiné, avec du lait écrémé.

— Bien sûr.

Daniels semblait inquiet, comme si, en se dirigeant vers la machine à espresso, il laissait Buffy dans une situation potentiellement dangereuse. S'il avait su! La jeune fille se hissa sur le tabouret voisin de M. O'Leary et croisa ses mains sur le comptoir.

— Je vous écoute.

— En quoi les radotages d'un vieux bonhomme comme moi peuvent-ils bien vous intéresser? s'enquit son interlocuteur.

Elle haussa les épaules.

— Disons que je suis curieuse.

— Ça, je n'en doute pas. Mais en quoi?

L'accent de M. O'Leary rappelait à Buffy celui de Michael J. Fox dans *Retour vers le futur III*, quand il jouait son propre arrière-grand-père, un immigrant irlandais.

— Racontez-moi ce que vous avez vu, dit-elle d'une voix pressante.

Le vieil homme baissa les yeux et chuchota quelque chose. Elle se pencha vers lui pour mieux l'entendre.

— Les morts se relèvent. Ils sortent de leur tombe pour détruire les vivants.

— Voudriez-vous être un peu plus précis ? demanda Buffy. Ça peut concerner pas mal de monde.

M. O'Leary fronça les sourcils.

— Qui êtes-vous ?

— Quelqu'un qui vous croit, répondit doucement Buffy. Ces morts, de quel genre sont-ils ?

Le vieil homme semblait sur le point de pleurer.

— Savez-vous depuis combien de temps on me prend pour un fou ? J'ai tout perdu. Mon poste d'enseignant…

Buffy posa une main sur la sienne.

— Je sais, monsieur O'Leary.

Une larme roula sur la joue du vieil homme.

— Je vous en prie, monsieur O'Leary, racontez-moi avant que votre ami ne revienne avec mon café.

— Des zombies, déclara précipitamment le vieil homme. Vous avez entendu parler de Samhuinn ?

— Un peu, oui.

— La période noire de l'année, celle où règne le roi-citrouille.

— Le roi-citrouille? répéta Buffy. (Elle se gratta la joue.) Je ne vous suis pas. Quel rapport avec les zombies?

— C'est lui qui les gouverne. (M. O'Leary haussa le ton.) Les créatures s'éveillent pour le servir. Loups-garous, zombies, démons… Ils frappent comme des guerriers pour éclaircir nos rangs pendant que lui cherche l'Élue.

Buffy marqua un temps d'arrêt.

— L'Élue, hein? On ne l'appelle pas aussi la Tueuse?

Le vieil homme la dévisagea sans comprendre.

— Je ne crois pas, non.

— Super! s'exclama Buffy avec un soulagement visible. (Elle se reprit.) Je veux dire, c'est très intéressant.

— Intéressant? interrogea l'Irlandais.

Alors que Nick Daniels revenait avec le café de Buffy, M. O'Leary laissa tomber son verre sur le sol. Le verre se brisa, projetant des éclaboussures brunes et de la crème fouettée.

— Vous êtes aussi bornée que tous les autres! s'emporta M. O'Leary. Je ne suis pas venu ici pour raconter des histoires, mais pour chercher de l'aide contre les forces du mal !

— Que se passe-t-il ? demanda une voix féminine.

La propriétaire du lieu devait avoir une trentaine d'années. Elle portait un court chemisier dévoilant son nombril et un pantalon de coton à la dernière mode. Un badge épinglé sur sa poitrine l'identifiait comme Claire Bellamy, directrice du *Bronze*.

Nick Daniels fit le tour du comptoir pour la rejoindre.

— Je croyais que vous me compreniez ! hurla M. O'Leary en pointant vers Buffy un doigt accusateur. Que vous alliez faire quelque chose !

Daniels et Bellamy dévisagèrent la jeune fille. Celle-ci, mal à l'aise, haussa les épaules.

— Je ne sais pas de quoi il parle, fit-elle, honteuse.

— Vous… vous… bafouilla l'Irlandais. Vous êtes une petite menteuse ! cracha-t-il.

Toutes les têtes se tournèrent vers Buffy, qui se racla la gorge d'un air embarrassé.

— Navrée, monsieur O'Leary, intervint Claire Bellamy, mais je dois vous demander de partir. Tu me donnes un coup de main, Nick ?

Pendant que les deux responsables du club le conduisaient vers la sortie, le vieil homme tourna la tête vers Buffy.

— Si d'autres gens meurent ce soir, ce sera de votre faute, Buffy Summers ! s'égosilla-t-il.

— Vous ne voudriez pas répéter ça dans le micro ? marmonna-t-elle entre ses dents. Il doit y avoir deux ou trois personnes à la périphérie de la ville qui n'ont pas entendu.

Sans parler des vampires…

Toujours perchés sur leurs tabourets, Alex et Willow grimacèrent. Buffy se désigna de l'index, puis tendit un doigt vers la porte. Ils bondirent pour la rejoindre.

— Buffy Summers, espèce de petite menteuse, la taquina Alex. Où comptes-tu donc aller ?

— Pas à Disneyworld, je le crains, soupira-t-elle, sinistre. Pour moi, c'est direction le cimetière.

Elle tendit la main vers son sac, que portait Alex. Son ami tenait une boîte d'allumettes dénichée dans les affaires de la jeune fille. Il mourait d'envie de lui demander à quoi elles servaient. Si Buffy lui avouait que c'était juste au cas où elle aurait eu besoin d'allumer une bougie, elle savait qu'il serait déçu.

À cet instant, la foudre frappa le *Bronze*. Les lumières s'éteignirent ; les Enfants de la Nuit cessèrent de gesticuler et se turent comme des jouets aux piles usées. Pour éclairer la grande salle, il ne restait plus que les bougies disposées sur les tables, qui donnaient aux visages un aspect spectral.

— Ouah, cool ! s'exclama Alex. (Il se reprit.) Je veux dire : quelle plaie !

Les lumières revinrent. Tout le monde applaudit.

— Quelqu'un veut un café au lait décaféiné ? demanda Buffy.

— Pas question que tu y ailles seule. Cette fois, on t'accompagne, insista Willow.

Alex hocha la tête.

— On ne veut pas que tu te fasses manger le cerveau par des zombies. Tu en as déjà juste assez pour suivre tes cours...

— Tu vas sûrement te retrouver en infériorité numérique, ajouta Willow. Je veux dire, encore plus que d'habitude.

— Pas d'inquiétude : je suis la Tueuse.

— Mais nous avons juste affaire à des zombies, objecta Willow. Je pense que de simples civils sont autorisés à les tuer. (Puis, sur un ton hésitant :) C'est bien les bestioles qui se déplacent au ralenti ?

— Absolument, acquiesça Alex. Ils avancent avec les bras tendus devant eux, comme les momies. (Il gonfla la poitrine.) Je suis à peu près certain de courir plus vite qu'eux. Je suis arrivé troisième au cent mètres quand j'étais en sixième !

Willow eut un sourire d'indulgence, puis se tourna vers Buffy.

— Tu vois bien. Nous sommes totalement qualifiés pour cette mission.

Buffy n'en était pas convaincue.

— Je vous emmènerai seulement si Giles est d'accord. De toute façon, il faut que je l'appelle pour voir s'il a trouvé quelques anecdotes marrantes, ou des trucs utiles qu'ils n'auraient pas mentionnés dans *La Nuit des morts vivants*.

Alex frissonna.

— J'ai adoré ce film, mais je n'aurais jamais cru que je jouerais dans la suite.

Buffy eut un sourire ironique.

— Reste près de moi, très cher, et je ferai de toi une star.

Elle désigna la porte conduisant aux deux cabines téléphoniques du *Bronze*. Ces dernières étaient toujours occupées par des jeunes gens en train de rompre ou de se raccommoder. Buffy espéra qu'il n'y aurait pas trop de queue.

La jeune fille entra au moment où un zombie sortait en sens inverse.

— Si tu comptais utiliser les cabines, oublie : elles sont nazes toutes les deux.

— Quoi ?

Buffy se précipita pour vérifier, sous le regard inquiet d'Alex et Willow.

— C'est vrai, ça ne marche pas.

— On peut toujours demander à utiliser la ligne privée du club, suggéra Alex.

Il rebroussa chemin et se dirigea vers le comptoir, laissant les deux filles seules.

— Pauvre M. O'Leary, soupira Willow. Personne ne le croit.

— Ne m'en parle pas, renchérit Buffy.

Elle revoyait encore les larmes dans les yeux du vieil homme, et ne se sentait pas très fière d'elle.

— Je me demande si je finirai comme lui. Sais-tu que Giles a refusé de m'indiquer la durée de vie moyenne des Tueuses ? Tu as remarqué que la prophétie parle d'une seule fille par génération, pas d'une femme d'âge mûr qui joue au bridge…

— … chevauche une Harley, coupa Willow.

Buffy fronça les sourcils.

— Je ne fais pas de moto.

— Tu ne joues pas non plus au bridge.

Alex revint sur ces entrefaites.

— Leur ligne est coupée aussi. Ça doit être à cause de la foudre.

— Bon, répliqua Buffy. Je veux que vous alliez trouver Giles et que vous lui demandiez de faire des recherches sur les zombies. (Elle claqua des doigts.) Et sur le roi-citrouille.

— C'est un des personnages du film de Tim Burton, *L'Étrange Noël de M. Jack*, l'informa Alex. Celui qui veut prendre la place du Père Noël.

— J'en parlerai à Giles, promit Willow.

— Je ne suis pas sûr que ce soit une bonne idée de nous séparer, protesta Alex. Dans les films d'horreur, les gamins ne restent jamais ensemble, et c'est comme ça que le type à la tronçonneuse les massacre les uns après les autres.

— J'ai besoin de ces renseignements, insista Buffy.

— Dans ce cas, allons-y tous les trois, suggéra Alex.

— Je ne peux pas. Il faut que je me rende au cimetière sans perdre de temps. Qui sait ce qui se passe là-bas ? Et puis, je m'inquiète pour M. O'Leary. Je crains qu'il n'essaye de sauver le monde tout seul.

— Sauver le monde tout seul... À qui cela te fait-il penser ? demanda Alex.

— À quelqu'un que nous connaissons bien. Tu sais ? Buffy a raison. Nous devrions obéir sans discuter, comme de bons assistants Tueurs.

Alex fit la grimace.

— C'est vraiment ce que tu penses ?

— Vraiment.

Buffy tapa dans ses mains.

— D'accord, les gars. On synchronise nos montres et on y va.

— OK, capitaine, dit Alex en effectuant un salut militaire. Et surtout, ne fais rien que je ne ferais pas.

Buffy eut un sourire en coin.

— Rien ne me vient à l'esprit sur le coup, mais c'est d'accord.

Ils sortirent du *Bronze*, et la nuit d'Halloween les enveloppa. Buffy espéra que ses compères ressemblaient aux Trois Mousquetaires plutôt qu'aux Marx Brothers, parce que, sinon, elle n'était pas certaine qu'ils survivent à cette nuit.

9

Dans le silence de la bibliothèque, Giles était absorbé par la lecture des *Journaux du Gardien*. Les exploits des Tueuses étaient aussi fascinants qu'horrifiants, mais le bibliothécaire n'avait pas un caractère à se laisser emporter par son imagination.

Les heures passaient et Buffy ne se manifestait toujours pas. Giles en éprouvait de l'inquiétude plutôt que du soulagement. Il n'arrivait pas à se défaire de l'impression que quelque chose clochait, qu'une catastrophe était sur le point de se produire.

Ça avait un rapport avec Halloween, Samhuinn et la saison des morts, sans compter la légende locale à propos des épouvantails et de la pluie. Il en était sûr, de la même façon qu'il était sûr d'avoir déjà lu un texte au sujet de Samhain, l'esprit démoniaque lié aux épouvantails. Pourtant, il n'avait pu le retrouver.

Giles ôta ses lunettes et frotta ses yeux rougis. Il était fatigué, mais ne pouvait pas s'autoriser une baisse d'attention. La vie de la Tueuse dépendait peut-être de lui. Cela dit, il était possible qu'il se trompe, que le lien entre les légendes du coin et les anciens démons n'existe que dans sa tête, donc que Buffy ne coure aucun danger réel.

Giles se sentait de plus en plus mal à l'aise. Pas seulement à cause de ses recherches infructueuses. Son dos le brûlait comme chaque fois que quelqu'un l'observait par-derrière. Lentement, il se tourna vers la porte de la bibliothèque et scruta les ténèbres du couloir. Il cligna des paupières, mais il n'y avait rien à voir. Personne ne le surveillait. Malgré lui, il frissonna.

Rupert Giles n'était pas quelqu'un de nerveux, bien au contraire. Il se flattait d'incarner le légendaire flegme britannique. Ça l'avait bien servi durant les années où il s'était préparé à son rôle de Gardien : rien ne l'étonnait ni ne le choquait vraiment.

Quelque part dans le lycée, une porte se ferma sans claquer vraiment, mais assez fort pour que Giles l'entende. La curiosité eut raison de lui : il se leva de sa chaise et traversa la bibliothèque en direction du couloir. Il jeta un coup d'œil des deux côtés. Tout semblait désert. Il aurait juré être seul dans le lycée, et pourtant...

— Ça doit être le concierge, dit-il à voix haute pour se rassurer.

Pourtant, il était à peu près sûr d'avoir vu M. Jones partir quelques heures plus tôt.

Il retourna s'asseoir et reprit sa lecture où il l'avait interrompue. Soudain, ses yeux se posèrent sur le mot « Samhain » dans le journal qu'il était en train de survoler. Il revint au début du paragraphe et lut.

— Monsieur Giles ?

— Aaah ! cria le bibliothécaire en bondissant sur ses pieds.

Wayne Jones, le concierge aux cheveux blancs, se tenait à l'entrée de la pièce, un balai à la main. Il fronça les sourcils.

— Ah, monsieur Jones, dit Giles en s'efforçant de cacher son embarras. Vous m'avez fait peur.

— Navré, monsieur Giles, s'excusa le vieil homme de sa voix rocailleuse. Je vois que, comme d'habitude, vous travaillez tard. Je voulais juste vous dire que je partais, et vous demander si vous aviez besoin de quelque chose avant que je m'en aille.

— Non, merci, bonne nuit, monsieur Jones.

— Vous aussi, monsieur Giles. Encore désolé de vous avoir fait peur.

— Oh, ce n'est rien. (Le bibliothécaire se frotta la nuque, comme il le faisait souvent quand un sujet de conversation le mettait mal à l'aise.) Je suis juste un peu nerveux en ce moment. Ça doit être le manque de sommeil.

— À demain, alors, dit le concierge en se détournant.

Ses pas s'éloignèrent dans le couloir, et Giles retourna à sa lecture.

La référence qu'il avait découverte concernait les exploits d'Erin Randall, une Irlandaise ayant vécu au XVIIe siècle. Son Gardien, Timothy Cassidy, l'aimait apparemment beaucoup.

Mais, à moins que la mémoire de Giles ne lui joue des tours, la jeune fille avait rempli son rôle de Tueuse pas plus de quatorze ou quinze mois. Elle avait péri de mort violente, comme la plupart de celles qui l'avaient précédée et suivie.

Entre-temps, elle avait tout de même affronté une horde de démons, de vampires et de monstres en tout genre, qu'elle avait détruite.

— J'aurais dû me douter que c'était toi, murmura Giles. Qui d'autre aurait pu affronter Samhain et y survivre?

Il marqua une pause. Buffy en serait-elle capable? Il n'était pas certain que Samhain décide d'apparaître pour Halloween, mais si le démon-roi des anciens rituels druidiques devait se manifester quelque part ce serait sûrement à Sunnydale.

Giles fit taire son inquiétude. En peu de temps, Buffy était devenue une excellente Tueuse. Elle manquait un peu de cervelle, et ne montrait guère d'empressement à étudier, mais elle compensait ces défauts par une détermination, une combativité et un courage peu communs chez une fille de son âge.

Si Buffy ne réussissait pas à arrêter Sam-hain, Giles ne voyait pas qui y parviendrait. Et cette idée ne le réconfortait guère.

— Ah, nous y voilà, murmura-t-il en re-trouvant son paragraphe.

Il commença à lire.

10

La jeune Randall est encore une gamine, mais elle doit affronter un des démons les plus puissants qui aient arpenté la Terre avant l'aube de l'humanité. Même les Vikings et les Français respectent cet esprit, le seigneur de la nuit, à qui obéissent les morts et toutes les créatures des ténèbres.

Rectification : à qui obéissaient les morts et toutes les créatures des ténèbres. Depuis qu'on a levé les voiles de la superstition et de l'ignorance, Samhain a perdu beaucoup de son pouvoir. C'est une bonne chose, sinon la petite n'aurait eu aucun espoir de le vaincre.

Autrefois, les Celtes qui peuplaient notre verte Irlande se cachaient de Samhain et de ses suppôts durant les longs mois d'hiver. C'était la période appelée Samhuinn, en référence au démon lui-même.

Ils donnaient des fêtes en l'honneur des morts, laissaient des chandelles brûler toute la nuit pour les éloigner, et achetaient par des offrandes le droit de vivre une autre journée. Ils sculptaient des citrouilles pour représenter le roi de l'hiver, et Samhain s'en réjouissait. Nul ne contestait son règne.

Mais le culte des druides s'étiola peu à peu. Par la grâce de Dieu, les anciens Celtes devinrent des catholiques irlandais, et la saison des morts commença à se rabougrir tel un arbre privé d'eau.

Bientôt, Samhuinn fut réduit à un festival de trois jours, un simple prétexte à festivités. L'ancienne foi avait disparu, remplacée par Halloween.

Le roi-citrouille en conçut une vive rage, mais que pouvait-il faire ? À part survivre, bien sûr. Il était plus ancien que les Celtes, plus vieux que l'humanité, et rien n'aurait pu le faire disparaître. Il se retrouva très affaibli.

À ce jour, il ne peut plus pénétrer dans notre monde que par l'intermédiaire d'un réceptacle à son image. Il a besoin d'un minimum de foi pour se manifester. Les citrouilles sculptées peuvent lui servir d'hôte, même si ceux qui les ont préparées ignorent qu'ils ont suivi les anciens rituels. Elles sont les yeux de Samhain, esprit d'Halloween. Grâce à elles, il voit mais ne peut agir, car il ne possède pas de forme propre.

La seule qu'il puisse utiliser pour revenir sur Terre est celle des épouvantails. Sans savoir ce qu'ils faisaient, beaucoup de fermiers ont fourni un corps à Samhain en plantant au sommet de deux bâtons en croix une citrouille sculptée pour effrayer les oiseaux et les tenir à l'écart de leurs semailles.

Hier soir, c'était Halloween. Les morts ont arpenté la campagne, accompagnés de loups-garous, de goules, de fantômes et de gobelins. Leur roi marchait en tête.

Erin Randall, la Tueuse, a passé toute la nuit à lutter contre ces créatures des ténèbres. Celles-ci l'ont avertie que le roi-citrouille s'intéressait à elle, et qu'il avait l'intention de prendre sa vie.

J'avais fourni à Erin de l'ail et de l'angélique pour la protéger, ainsi que des symboles à dessiner dans la poussière du sol pour emprisonner le démon, un résultat qu'on peut également obtenir avec un cercle de feu.

Je lui avais remis une arme de ma propre fabrication qui, je l'espérais, détruirait l'hôte de Samhain. Peut-être renverrait-elle le roi-citrouille dans les limbes où il réside le reste de l'année, à moins qu'elle ne l'anéantisse pour de bon.

Giles étudia les symboles dessinés : disposés en cercle sur le sol, ceux-ci permettaient d'emprisonner Samhain. Il mémorisa les étapes de fabrication de l'arme, puis lut le récit de la bataille elle-même.

Selon Cassidy, Samhain avait réussi à prendre l'arme à Erin, qui n'avait jamais pu éprouver son efficacité. Mais la jeune fille avait trouvé un moyen de détruire son hôte, le bannissant jusqu'à l'année suivante. Cette partie était un peu vague ; visiblement, Cassidy avait été interrompu à plusieurs reprises pendant qu'il l'écrivait.

Le roi-citrouille avait dû entrer dans une colère folle, songea Giles en se demandant ce qui s'était passé ensuite. Il tourna les pages jusqu'à la dernière, qui portait justement la date d'Halloween.

L'année suivante, Samhain avait tué Erin.

Giles referma le journal et tourna la tête vers la fenêtre pour observer le clair de lune.

— Buffy, murmura-t-il.

Il se leva, saisit un sac de toile et y fourra les objets dont il pensait avoir besoin. Puis il se rua hors de la bibliothèque.

Alex et Willow n'en pouvaient plus. Ils avaient marché vite, mais le lycée n'était pas tout près du *Bronze*. Sans compter qu'ils passaient leur temps à regarder par-dessus leur épaule, s'attendant à ce que des monstres leur sautent dessus à tout moment.

Ils devaient reconnaître que Giles avait raison : la nuit d'Halloween ne s'annonçait pas bien du tout.

Alex avait espéré passer un peu de temps au calme avec Buffy — et Willow, bien sûr —, mais apparemment ça ne serait pas pour cette fois.

Willow et lui entrèrent dans la cour et se dirigèrent vers le grand hall. En passant près du banc où ils se retrouvaient chaque matin, ils entendirent une branche craquer et sursautèrent.

— Ça ne me dit rien qui vaille, grommela Alex.

— Nous sommes juste un peu nerveux, dit Willow, mais vu la soirée que nous venons de passer, il faudrait afficher un encéphalogramme plat pour ne pas l'être.

— Je suppose que tu as raison, concéda Alex.

Quelque part dans les ténèbres s'éleva un rire haut perché. Les deux jeunes gens pâlirent.

— N'y faisons pas attention, ordonna Willow. Viens, dépêchons-nous.

Ils pressèrent le pas à l'approche des marches.

— Il n'y a rien d'effrayant dans le coin, insista-t-elle. Rien du tout.

Sceptique, Alex la regarda du coin de l'œil.

— À part des zombies, des loups-garous et des vampires…

— Oh, mon Dieu ! s'exclama Willow.

Alex leva les yeux au ciel.

— Des zombies, des loups-garous et des vampires. Oh, mon Dieu ! (Le ton de sa voix changea.) Des zombies, des loups-garous et...

— Des vampires, acheva Willow en hochant la tête.

Suivant le regard de sa compagne, Alex vit qu'ils n'étaient plus seuls. On les avait filés depuis le *Bronze*.

—Tiens, tiens! Mais qui voilà? ricana le vampire déguisé en cow-boy.

— Je t'ai manqué, chéri? ajouta la danseuse de saloon en battant des paupières à l'attention d'Alex.

Les vampires traversèrent la pelouse pour les rejoindre.

— Nous vous avons suivis, déclara le cowboy avec satisfaction. Et la Tueuse n'est plus là pour vous protéger. Voyons si vous vous montrez aussi courageux loin de l'Élue.

— Le courage est une qualité très surfaite, lâcha Willow.

Elle prit la main d'Alex.

— Tout à fait d'accord, acquiesça son compagnon, tandis que les vampires se séparaient pour les prendre en tenaille. Il existe tellement d'autres façons plus constructives de réagir face au danger.

— Nommes-en une, susurra la danseuse de ses lèvres si rouges qu'elles faillirent distraire Alex.

— Euh… La fuite, par exemple !

Entraînant Willow, le jeune homme se précipita vers les marches du grand hall. Une seconde plus tard, son amie le dépassait tandis que les créatures se lançaient à leur poursuite. Le salut était tout proche.

— Willow ! cria Alex. Ouvre la porte !

Il passa une main sous sa chemise blanche et tira une croix, puis il s'arrêta, et la brandit sous le nez des vampires.

— Alex ! lança Willow, folle d'inquiétude.

Il l'entendit marteler la porte à coups de poing en criant le nom de Giles.

Le cow-boy et la danseuse se figèrent. La réaction d'Alex les avait surpris. Brandissant la croix, Alex recula vers l'escalier.

— Que se passe-t-il ici ? demanda Giles dans son dos.

Aussi vite qu'il le put, Alex fit volte-face, gravit les marches deux par deux et s'engouffra dans l'établissement. Giles et Willow refermèrent les doubles battants au moment où les vampires atteignaient le haut de l'escalier.

La danseuse réussit à glisser une main dans l'entrebâillement, et ses griffes se tendirent vers le visage de Willow. Les portes lui écrasaient le bras, mais elle ne renonça pas.

— Permission refusée ! s'exclama Alex en abattant la croix sur le bras nu de la danseuse.

Celle-ci poussa un cri d'agonie et se retira ; rapide comme l'éclair, son compagnon parvint à bloquer la porte avec son pied.

— Alex ! cria Willow.

Il lança sa croix vers le cow-boy. L'objet l'atteignit au front et il tomba comme une masse. À croire que l'Incroyable Hulk venait de lui en coller une.

Enfin, Willow et Giles réussirent à fermer la double porte. Immobiles et haletants, ils se regardèrent tandis que les vampires furieux tambourinaient aux battants.

— Je ne voudrais pas que tu me prennes pour une ingrate, commença Willow, mais d'où sors-tu cette croix ? Ce n'est pas le genre de chose que tu portes d'habitude, et ça n'a aucun rapport avec ton costume.

Gêné, Alex se mordit la lèvre.

— En fait, euh… Je l'ai empruntée à Buffy quand j'ai fouillé dans son sac. Je me suis dit que ça pourrait toujours être utile, et, de toute façon, elle en avait une autre.

Il haussa les épaules.

— Ça m'ennuie de le dire, mais je ne peux qu'approuver ce soudain accès de klepto-manie, renifla Giles. Sans lui, nous serions peut-être morts.

— Merci, répondit Alex.

— Et maintenant ? s'enquit Willow.

— Nous nous trouvons dans une situa-tion délicate, commença le Gardien.

— Sans blague ? ironisa Alex.

Giles le foudroya du regard.

— Nous n'avons pas de temps à perdre. J'ai vérifié : il semble bien que votre histoire d'épouvantails et de pluie d'Halloween ait un fondement. Je soupçonne Samhain de vouloir détruire Buffy, et votre arrivée ici confirme mes craintes. La soirée a été mou-vementée, n'est-ce pas ?

— Oh, juste quelques apparitions de vampires et de zombies, dit Willow d'un air blasé.

— Qui ont peut-être été envoyés par Samhain en personne, marmonna Giles. (Puis, plus haut :) Nous devons sortir d'ici. Je crains que notre Tueuse ne se soit fourrée dans le pétrin.

— Vous n'avez peut-être pas remarqué, mais nous avons nous aussi nos problèmes, dit Alex. Je ne vois pas comment nous allons joindre Buffy pour lui dire de se méfier du roi-citrouille !

Giles rajusta ses lunettes et eut un léger sourire.

— Ce n'est pas compliqué : il suffit de tuer les vampires qui nous attendent dehors.

11

En se relevant de leur sommeil, pas franchement éternel, les zombies devaient se frayer un passage hors de la tombe à coups de griffes, comme des rats. À voir la façon dont ils se débattaient, on aurait pu croire qu'ils suffoquaient sous terre et avaient besoin d'air frais dans les délais les plus brefs.

Du moins était-ce l'opinion de Buffy. Assise au sommet du portail en fer forgé, à l'entrée du cimetière, elle observait les mains grisâtres qui jaillissaient du sol en se tortillant comme des vers de terre et cherchaient à tâtons quelque chose à quoi s'accrocher pour extraire le reste de leur personne.

Les restes de leur personne, dans la plupart des cas. Parfois, la chair en décomposition cédait ; les os se détachaient, et un bras ou une jambe n'arrivait pas à suivre le mouvement. Mais les zombies ne semblaient guère se soucier des morceaux manquants.

De toutes les créatures maléfiques que Buffy avait affrontées, les zombies étaient les plus répugnantes. La perspective d'une bagarre contre eux ne l'enchantait pas du tout. Mais quand ces monstres se relevaient, ils avaient faim de cerveaux humains, et ils étaient prêts à tout pour calmer leur appétit.

Pour l'heure, ils sentaient l'odeur de leur dîner, et celui-ci avait pour nom Buffy. Ils avaient également dû sentir tout Sunnydale, car plusieurs groupes rassemblés au pied du mur d'enceinte poussaient de toutes leurs forces. Jusque-là, les pierres n'avaient pas cédé, mais le ciment commençait à se détacher par plaques du côté de la rue.

Sous le perchoir de Buffy, une vingtaine de zombies se pressaient contre les barreaux de la grille. La chaîne qui fermait le portail grinça en même temps que ses gonds. D'ici peu, le tout lâcherait, et les créatures se déverseraient dans les rues de la ville.

Buffy s'efforçait de ne pas les regarder. Certains zombies avaient le crâne nu ; d'autres arboraient encore quelques plaques de chair et de rares touffes de cheveux. Il s'élevait d'eux un gémissement qui glaçait le sang de Buffy, la faisant frissonner de la tête aux pieds.

—Très harmonieux, les gars. Mais je vous en prie… bouclez-la !

Les zombies ne répondirent pas. Il était étonnant qu'ils soient aussi nombreux dans une petite bourgade comme Sunnydale. Il y avait plus de morts enfouis dans le cimetière que de vivants dans la ville, et c'était le soir de leur grand bal de fin d'année.

Quand l'un d'eux tombait, les autres le piétinaient sans remords. Buffy grimaça. En plus d'être répugnantes, ces créatures s'avéraient très mal élevées.

De nouvelles recrues ne cessaient de jaillir de leur tombe pour se joindre à celles qui se massaient déjà au pied du mur. Celui-ci commença à faiblir sous la pression, tandis que les maillons de la chaîne du portail se détachaient lentement. Les zombies n'allaient pas tarder à sortir.

Buffy plissa le nez. Il était temps d'intervenir pour empêcher le massacre.

— Je vais avoir besoin d'un bon bain après ça, marmonna-t-elle en sautant de son perchoir et en atterrissant derrière les zombies.

Le plus proche pivota et avança vers elle, les bras tendus comme ceux d'un somnambule. Ses mâchoires s'ouvrirent et se refermèrent sans qu'un son n'en sorte. La présence dans ses orbites de deux gros yeux blancs indiquait que son trépas était récent, autrement dit, qu'il serait un peu plus coriace que les autres.

Buffy lui décocha un coup de pied dans la figure, et il tomba. Une autre créature approcha derrière la jeune fille, qui pencha le buste et détendit sa jambe. Les côtes du zombie craquèrent et il fut projeté deux bons mètres plus loin. Un troisième mort vivant reçut le poing de Buffy sur le crâne ; ses jambes cédèrent sous lui.

— Beurk ! cracha Buffy en observant sa main couverte de moisissure et de toiles d'araignée.

Elle l'essuya sur sa chemise de satin.

Une fois qu'on s'était fait à leur aspect épouvantable, les zombies n'étaient pas très difficiles à arrêter *individuellement*. Tout le problème résidait dans leur nombre. Avec un cimetière entier contre elle, Buffy était servie.

La majorité silencieuse commençait à comprendre que quelque chose d'appétissant se tenait là. Les zombies occupés à pousser le mur levèrent la tête comme des chiens qui reniflent l'air. Lentement, ils pivotèrent et se dirigèrent vers Buffy.

— Giles, marmonna la jeune fille entre ses dents, ce serait le moment rêvé pour apparaître avec un sac de gadgets anti-zombies.

Puis, d'une voix forte qui, à défaut de réveiller les morts, les fit sursauter, elle cria :

— Jacques a dit : « Retournez dans votre tombe ! »

Les zombies continuèrent à avancer. Certains portaient un linceul déchiré, d'autres une robe ou un costume en lambeaux. L'un d'eux était déguisé en clown. Buffy frissonna face à cette vision macabre.

— Faites attention à ce que je dis ! gronda-t-elle en lançant son poing dans la poitrine d'une créature, tout en donnant un coup de pied à une seconde et en bondissant par-dessus une troisième. Quand Jacques a dit, vous devez faire ce qu'il ordonne. Essayons une approche plus directe : la Tueuse vous dit de mourir une bonne fois pour toutes !

Mais les zombies refermèrent le cercle autour d'elle en faisant cliqueter leurs mâchoires. Le gémissement d'origine inconnue ne cessait de s'amplifier, l'inquiétude de Buffy grandissant avec. Elle sentait la fatigue et une indicible tristesse la gagner jusqu'à la moelle osseuse. Si c'était ça, la mort, elle préférait encore le lycée.

Son cœur battait la chamade. Les zombies étaient trop nombreux, même pour une Tueuse. Et ceux dont elle se débarrassait ne tardaient pas à revenir à la charge.

L'un d'eux, vêtu des lambeaux d'une robe de mariée, lui saisit le bras. Buffy se dégagea au moment où une seconde créature, portant un smoking, lui attrapait l'autre. Elle recula vivement.

— Vous ne vous seriez pas déjà rencontrés? demanda-t-elle alors que les deux zombies entraient en collision et s'effondraient à ses pieds. Devant l'autel, par exemple?

Puis le clown se dirigea vers elle. Sa perruque orange frisée était de travers sur sa tête, laissant entrevoir des mèches de cheveux gris. Sous son maquillage rouge et blanc, la grimace qu'il lui fit sembla vaguement familière à Buffy.

Elle hoqueta de surprise.

— Monsieur O'Leary? cria-t-elle en reculant.

Elle heurta un autre zombie et sentit des bras se refermer autour de sa poitrine.

— J'arrive, petite! cria une voix masculine.

Au moment où la créature saisissait Buffy à la gorge, M. O'Leary — aussi vivant que la jeune fille, et avec de meilleures chances de le rester — se précipita vers elle.

— Oh, non, grogna Buffy, essoufflée. Monsieur O'Leary, fichez le camp d'ici!

— C'est une bonne chose que j'aie décidé de revenir. Je vais te sauver! cria le vieil

12

— D'accord, Giles. C'est quoi, votre plan ? demanda Alex, anxieux, pendant que la danseuse de saloon se jetait contre les portes du grand hall pour la cent unième fois.

Jusqu'ici, les créatures n'avaient pas réussi à entrer, et Giles supposait qu'elles en étaient incapables. Peut-être était-ce parce que personne ne les avait invitées à franchir le seuil.

La vampire était désormais seule en haut des marches. Ça faisait cinq bonnes minutes que Giles, Alex et Willow n'avaient pas entendu crier son partenaire. Où était-il donc passé ? Et les deux vampires étaient peut-être venus avec des renforts.

Qui sait ? songea le Gardien. *Ils sont peut-être déjà en train de se faufiler dans les couloirs obscurs, prêts à nous tendre une embuscade.*

Giles savait que le temps des recherches avait pris fin. C'était maintenant celui de l'action, une constatation qui n'avait rien pour lui plaire.

Quand je pense que je me suis réjoui en découvrant que j'étais le Gardien de la Tueuse !

— Nous venons vous chercher ! cria la danseuse de l'autre côté de la porte. Surtout toi, Alex.

— Elle connaît mon nom, murmura le jeune homme, terrifié.

— Miséricorde ! dit Willow d'une voix faussement compatissante. Maintenant, elle va pouvoir trouver ton adresse dans l'annuaire !

— Mes parents sont sur liste rouge, riposta Alex, l'air soulagé.

Giles tenait toujours le journal de Timothy Cassidy. Il le posa près de l'arbalète qu'il comptait apporter à Buffy, fit signe aux adolescents de se rapprocher et baissa la voix.

— On dirait que ces deux-là ne peuvent entrer ici sans y avoir été invités, commença-t-il. Voici ce que nous allons faire : nous ouvrirons toutes les fenêtres de la bibliothèque et les attirerons à l'intérieur. Puis nous les enfermerons. Quand le soleil se lèvera, il fera le sale boulot à notre place.

— Une utilisation originale de l'énergie solaire, approuva Alex. Je suis sûr que les multinationales n'y avaient pas pensé. Un détail, cependant : comment comptez-vous les attirer ?

— Et les enfermer ? ajouta Willow.

Les deux jeunes gens observaient Giles d'un air confiant. Ils étaient en droit de supposer qu'un Gardien possède les réponses à ce genre de questions.

Ils se trompaient lourdement.

— Moi aussi, je me le demande, marmonna Giles.

Chaque moment gaspillé risquait de coûter la vie à Buffy. Il saisit le sac de toile rempli de matériel.

— J'ai ici quelques objets dont les vampires ne sont guère friands : gousses d'ail, croix, eau bénite, ainsi que deux ou trois choses dont Buffy pourrait avoir besoin.

Il brandit quatre branches de bois vert, encore couvertes d'écorce.

— Pour tuer Samhain, expliqua-t-il, la Tueuse doit…

— Euh… Giles? Sans vouloir vous offenser, serait-il possible de remettre le cours magistral à plus tard? demanda poliment Alex.

Willow lui flanqua un coup de coude dans les côtes.

— Hé! protesta-t-il. J'ai dit: sans vouloir vous offenser.

— Je ne le suis pas, le rassura Giles. Bon, rendez-vous à la bibliothèque. Arrachez les rideaux des fenêtres, et mettez une croix sur chacune. Espérons qu'ils ne remarqueront pas ce que vous faites. Puis nous les attirerons à l'intérieur et nous les empêcherons de ressortir en utilisant de l'ail et de l'eau bénite. Demain matin, le soleil se lèvera et…

Giles claqua des doigts.

— Pouf! Plus de vampires, conclut-il.

Alex hocha la tête.

— Ça me va comme ça. Willow, tu viens?

— Une minute. Comment allons-nous les attirer dans la bibliothèque?

— Je vais les laisser me repérer, expliqua Giles. Au besoin, je les inviterai à entrer. Vous deux, cachez-vous près de la porte. Dès que vous me verrez ressortir de la bibliothèque avec ces créatures à mes trousses — je trouverai bien un moyen —, dépêchez-vous de répandre de l'ail et de l'eau bénite sur le seuil avant qu'ils ne puissent me suivre.

Willow secoua la tête.

— J'ai compris jusqu'à : « Je trouverai bien un moyen. » C'est cette partie-là qui m'inquiète un peu.

Alex croisa les bras sur sa poitrine.

— Moi, j'ai bloqué dès : « Je vais les laisser me repérer », avoua-t-il.

— Avez-vous un meilleur plan ? demanda Giles, exaspéré. Non ? Dans ce cas, on exécute le mien.

— Mais vous êtes le Gardien, protesta Willow. Si vous mourez, Buffy se fera probablement tuer.

— Si c'est toi ou moi, marmonna Alex, elle se sentira tellement coupable qu'elle ne s'en remettra jamais. Je propose qu'on mette au vote le plan de Giles, les États-Unis sont une démocratie.

— À ma connaissance, la poursuite de vampires ne fait pas partie de votre Constitution, objecta l'Anglais.

— Pas plus que la poursuite *par* des vampires, dit fermement Willow.

Les deux adolescents avaient un don quasi surnaturel pour faire dévier les conversations les plus sensées.

— Ça ne nous plaît pas, mais on veut bien faire comme vous voudrez… déclara enfin Willow.

— Bien, lâcha Giles.

— … si vous promettez d'emporter une croix et une fiole d'eau bénite, ajouta-t-elle. (Elle haussa les épaules.) Je suppose que, si vous transportez de l'ail, ils refuseront de vous suivre.

Giles dévisagea les adolescents.

— Je parie que vous aurez aussi une croix chacun ?

— Nous serons armés jusqu'aux dents, lui assura Alex en sortant un crucifix du sac et en l'inspectant d'un œil critique.

Dommage que les nôtres ne soient pas aussi longues que les leurs.

Willow imita son compagnon.

Au même moment, le bruit d'une fenêtre qui vole en éclats retentit dans le bâtiment.

— Courez, ordonna le Gardien en saisissant ses clés dans sa poche. Je vais les retenir aussi longtemps que je pourrai. Et prenez l'arbalète !

Alex prit la main de Willow.

— Et si vous étiez retenu… disons, de façon permanente… y a-t-il quelque chose que nous devrions dire à Buffy ?

— Ce qu'il vous faut se trouve dans le journal de Timothy Cassidy, dit-il en fourrant le cahier dans les mains de Willow. Tâchez de ne pas le perdre.

Des bruits de pas s'élevèrent dans le couloir.

— Et maintenant, courez ! ordonna Giles.

Les deux jeunes gens s'élancèrent et disparurent à l'angle.

— A-lex ! appela d'une voix de séductrice la danseuse, qui avait jeté son dévolu sur lui.

Giles aussi courut. En direction de la vampire.

117

— Non, non ! s'époumona M. O'Leary. Ne fais pas ça, Sean !

Il sauta sur le dos du clown et lui martela la tête de coups de poing pour qu'il lâche Buffy.

— C'est moi, petit frère !

Ça explique pourquoi il me semblait le connaître, songea vaguement Buffy, sur le point de s'évanouir.

Un instant, elle avait cru avoir affaire à l'ancien professeur, même si elle savait que c'était impossible. Ou bien à un de ces artistes calamiteux qui exercent leur manque de talent dans les goûters d'anniversaire. Petite, elle les détestait.

Elle détestait les clowns…

… Et les poupées de ventriloque…

… Et les raisins secs…

… Et mourir.

— Non ! cria-t-elle en rassemblant tout ce qui lui restait de forces.

M. O'Leary réussit à faire lâcher prise à son frère. Buffy se dégagea. Ses jambes cédèrent sous elle et elle s'effondra, haletante, luttant contre les ténèbres qui menaçaient de l'engloutir. Mais elle ne put s'accorder qu'un bref répit.

Voyant qu'un zombie se penchait vers elle, elle lui décocha un coup de pied dans les rotules tandis que M. O'Leary roulait à terre avec le cadavre animé de son frère.

Le clown prit le dessus et cloua le vieil homme au sol. Buffy se releva d'un bond et se précipita vers les deux adversaires. Elle saisit le zombie par les épaules et le projeta un peu plus loin, puis, avant qu'il ne réagisse, elle le réduisit en bouillie à coups de pied.

— C'est… c'était votre frère ? demanda-t-elle, horrifiée.

M. O'Leary se redressa péniblement.

— Mort depuis seize ans, hélas, soupira-t-il. Mais laisse-moi te dire qu'on ne l'a pas enterré dans ce costume de clown. Quelqu'un l'a déguisé par pure méchanceté.

— Ce doit être dur pour vous, souffla Buffy.

Elle tendit une main au vieil homme pour l'aider, et enfonça son autre poing dans la poitrine d'un zombie trop agressif.

— Maintenant, fichez le camp d'ici! ordonna-t-elle.

— Non: je vais rester et me battre avec toi, déclara M. O'Leary.

— Il faut que vous alliez au lycée, insista la jeune fille. Demandez à M. Giles, le bibliothécaire, de venir aussi vite que possible.

Elle songea à Alex et Willow, qui avaient déjà dû rejoindre le Gardien.

— Il pourra nous aider, acheva-t-elle.

— Je ne te laisserai pas ici toute seule, protesta M. O'Leary.

Soudain, il poussa un cri, porta une main à sa poitrine et s'effondra.

Les zombies se ruèrent sur Buffy.

13

Pendant que Giles courait vers la vampire, le compagnon de celle-ci, toujours vêtu de son costume de cow-boy, surgit du couloir.

— Comme on se retrouve, ricana-t-il.

Giles s'arrêta net, fit demi-tour et s'élança vers la bibliothèque.

Mais le cow-boy lui sauta sur le dos et lui enfonça les talons dans les flancs en criant :

—Yee-ha !

S'inspirant de ses séances d'entraînement avec Buffy, Giles baissa la tête et se pencha brusquement vers l'avant. Désarçonné, le vampire alla s'écraser à terre.

— Décidément, tu es insortable, cracha la danseuse en le rejoignant.

Giles se plaqua contre le mur et brandit sa croix, balayant l'air devant lui. La vampire ralentit avec un sourire démoniaque, pendant que son compagnon se relevait.

— Tu n'as pas besoin de ça, shérif, su-surra la danseuse. À ta place, je la poserais.

— Restez où vous êtes.

Giles plongea la main dans sa poche et en sortit la fiole d'eau bénite. Il n'était pas certain de la façon dont il devait procéder. Tant que personne ne ferait le premier pas, les vampires et lui seraient condamnés à se regarder en chiens de faïence. Mais s'il se remettait à courir les créatures en profiteraient sûrement pour lui bondir dessus.

Sous les yeux horrifiés du Gardien, le cow-boy et la danseuse lui révélèrent leur vrai visage, ce faciès hideux qu'ils portaient quand la faim les tenaillait. Ils se léchèrent les crocs et tendirent leurs griffes vers lui en sifflant d'un air menaçant.

Giles déglutit mais ne se laissa pas impressionner. Buffy affrontait ce genre de danger tous les jours ; il ne pouvait faire moins quand il était question de la sauver.

— Tu es le Gardien de la petite Tueuse, constata la danseuse. Le Maître a promis une récompense à qui lui ramènerait ton cœur. Prépare-toi à une agonie douloureuse.

— Nous devrions le ramener vivant, intervint le cow-boy, détournant le regard tandis que Giles brandissait la croix vers lui.

— Navré de vous décevoir, mais je m'oppose à tous vos projets me concernant, les informa le bibliothécaire.

Le rire de la danseuse se répercuta dans le couloir.

— Tu finiras bien par te fatiguer.

Elle allait s'asseoir en tailleur quand la voix d'Alex résonna :

— Hé, Giles ? Tu as des bouquins sur la décoration d'intérieur ?

C'était le signal dont ils étaient convenus. Autrement dit, Alex et Willow avaient fini de décrocher les rideaux et de poser les croix sur les fenêtres.

Un grand sourire se peignit sur les lèvres de la danseuse.

— Mais c'est mon cher Alex ! Il doit être dans la bibliothèque…

— Avec ma petite amie, dit le cow-boy.

Ils regardèrent Giles, qui fit mine de jeter un regard paniqué vers la gauche.

— C'est par ici, déclara le vampire.

Il contourna le Gardien et rejoignit sa compagne. Ensemble, ils s'éloignèrent dans la mauvaise direction, comme l'avait prévu Giles.

— On va prendre les gamins par surprise, et on reviendra le chercher ensuite, décréta la danseuse.

Les deux créatures éclatèrent d'un rire cruel. Dès qu'elles se furent un peu éloignées, Giles bondit vers la bibliothèque.

— Alex ! Willow ! J'arrive ! cria-t-il.

Derrière lui, les vampires firent volte-face et s'élancèrent à sa poursuite. Giles redoubla d'efforts. Les créatures ne tardèrent pas à gagner du terrain sur lui. Plus qu'un mètre. Le cow-boy tendit le bras...

Giles franchit le seuil de la bibliothèque, et se sentit aussitôt happé par la main d'Alex.

Les vampires entrèrent à leur tour. Willow sortit de derrière la porte, une croix dans une main et une fiole d'eau bénite dans l'autre. Elle aspergea les créatures, qui poussèrent des cris de douleur tandis que de la fumée s'élevait de leur visage.

Alex tira Giles hors de la bibliothèque et jeta deux croix sur le sol, derrière eux. Willow bondit par-dessus pour rejoindre ses amis, tout en arrosant le seuil d'eau bénite.

—Vous nous le paierez! hurla la danseuse.

Son visage n'était plus qu'une masse de chair informe, comme si elle portait un masque en plastique que la chaleur aurait fait fondre. Elle voulut rattraper les trois compagnons, mais posa le pied sur une croix et poussa un nouveau cri.

Avant que les vampires puissent se ressaisir, Willow ferma la double porte et attacha des guirlandes de gousses d'ail autour des poignées. Elle avait déjà fait la même chose à l'intérieur pendant que Giles retenait les créatures dans le couloir.

— Allons-y, ordonna le Gardien.

Ils s'élancèrent en courant vers la sortie.

Les livres du bibliothécaire et l'arbalète qu'il destinait à la Tueuse étaient toujours posés sur le sol. Willow avait gardé le sac de toile.

Brave fille, songea Giles. *En voilà une qui a la tête sur les épaules.*

— Et s'il y en a d'autres qui nous attendent dehors? demanda Alex d'une voix tendue.

14

Buffy serra les dents. Elle aurait donné n'importe quoi pour une paire de boules Quiès, tant les gémissements des zombies la déprimaient.

M. O'Leary était mort ; un seul coup d'œil avait suffi à Buffy pour s'en persuader. *Quelle ironie, mourir d'une crise cardiaque au milieu d'une horde de morts vivants !* songea-t-elle.

Pendant qu'elle se défendait, plusieurs zombies fondirent sur le cadavre du vieil homme. Elle aurait voulu le protéger, mais elle avait déjà bien assez à faire pour sauver sa peau.

Un zombie la saisit par l'épaule. Pivotant pour lui flanquer un coup de poing dans la figure, Buffy ne put s'empêcher de regarder ce qu'ils avaient fait du cadavre de l'homme.

Ils l'avaient pendu à la branche d'un arbre, au milieu du cimetière, où il se balançait tel un macabre épouvantail. Un épouvantail… Coïncidence ou inspiration maléfique ? Buffy n'en avait aucune idée.

Les zombies recommencèrent à gémir. Il y en avait des dizaines.

Pas bon du tout.

Giles n'arrivait pas. Willow et Alex étaient peut-être morts, tombés sous les griffes des vampires en allant prévenir le Gardien. Buffy voulait absolument sortir du cimetière et s'assurer qu'ils allaient bien. Alors, ils reviendraient ensemble ; Giles aurait trouvé un sort anti-zombie dans ses vieux bouquins, et il ne leur resterait plus qu'à passer un grand coup de balai avant de rentrer chez eux se gaver de bonbons.

— Ton imagination galopante te perdra, ma vieille, marmonna Buffy.

Quoi qu'il en soit, elle devait s'échapper de là.

Tant de créatures étaient massées devant le portail qu'elle ne vit pas comment elle pourrait se frayer un chemin parmi elles, à moins de les envoyer toutes au tapis…

— Écoutez, les gars, dit-elle nerveusement en balayant du regard le mur d'os et de chair pourrissante qui l'encerclait. J'ai adoré votre petite fête, mais si je ne suis pas rentrée chez moi avant minuit, je vais me changer en citrouille.

Elle répéta le coup du nez cassé sur deux autres zombies, puis envoya son coude dans la poitrine d'un troisième dont la cage thoracique céda ; une immonde odeur de pourriture assaillit alors Buffy.

Être la Tueuse ne voulait pas dire que Buffy n'avait pas peur des monstres qu'elle affrontait ; elle avait juste la certitude de les vaincre... la plupart du temps...

Quand cette assurance disparaissait, elle n'était plus qu'une adolescente de seize ans qui souhaitait très fort continuer à respirer.

Regardant autour d'elle, Buffy aperçut un détail auquel elle n'avait pas prêté attention jusque-là. Trois côtés du cimetière étaient bordés par de hauts murs. Le dernier était séparé des champs qui entouraient Sunnydale par un muret de moins d'un mètre.

Si Buffy ne l'avait pas remarqué, c'était parce que aucun zombie ne s'y était aventuré. Bien sûr, les quartiers résidentiels abritaient davantage de vivants, autrement dit, davantage de cerveaux à déguster. Mais Buffy avait du mal à croire que pas un seul zombie n'ait songé à sortir par là. Elle allait pouvoir s'échapper en sautant par-dessus le muret.

— Je reviendrai, dit-elle, imitant de son mieux la voix d'Arnold Schwarzenegger.

Elle arracha le bras d'un zombie particulièrement décrépit et s'en servit pour défoncer le crâne de deux autres. Puis elle bondit de pierre tombale en dalle de marbre.

Suspendue aux ailes d'un angelot, sous le toit d'une crypte, elle baissa les yeux. Le muret ne se trouvait plus très loin. C'est alors que des doigts osseux se tendirent vers elle. Les gémissements se firent plus désespérés, comme si les créatures avaient senti que leur proie était sur le point de s'échapper.

Buffy se fraya un chemin vers le muret à coups de pied, de coude et de poing.

Plus que trente mètres.

Plus que vingt.

Plus que dix.

Une main lui agrippa les cheveux. Buffy trébucha et s'affala sur le sol. Les zombies se jetèrent sur elle en faisant claquer leurs mâchoires.

Submergée par leurs plaintes insoutenables, la jeune fille ferma les yeux. Une larme se forma au coin de ses paupières. C'en était trop.

— Noooooon ! hurla-t-elle en bondissant sur ses pieds avec une énergie renouvelée.

Elle envoya les zombies rouler au loin comme des boules de bowling qui firent s'écrouler les autres. Puis elle se dégagea et, les yeux écarquillés de terreur, s'élança vers le muret.

Elle bondit, effectua un saut périlleux et atterrit sur ses pieds. Pantelante, à bout de souffle, elle regarda autour d'elle pour trouver le chemin qui lui permettrait de regagner la ville au plus vite. Les créatures ne tarderaient pas à se lancer à sa poursuite…

Intriguée par leur absence de réaction, la jeune fille jeta un coup d'œil par-dessus son épaule.

Au lieu de lui courir après, les zombies s'étaient arrêtés devant le muret. Immobiles, ils la fixaient de leurs yeux ratatinés comme des raisins secs — elle savait bien qu'elle avait une bonne raison de les détester —, voire de leurs orbites vides.

— Parfait, acquiesça Buffy, qui ne comprenait pas mais n'allait pas se plaindre de cette aubaine. Vous m'attendez bien sagement, et je ramène quelqu'un qui vous chantera une berceuse pour vous rendre au repos éternel.

Cette absence de réaction était étrange. Buffy frissonna. Tentant d'ignorer sa peur, elle longea le muret. Il lui suffisait de contourner le cimetière pour se retrouver en ville. Ensuite, elle n'aurait plus qu'à marcher jusqu'au lycée pour rejoindre Giles.

Une fois de plus, elle se demanda avec inquiétude ce qu'étaient devenus Alex et Willow. Peu à peu, elle prit conscience d'une sensation désagréable, comme si quelqu'un l'observait, se préparant à lui bondir dessus…

Mais il n'y avait personne derrière elle. Elle mit sa nervosité sur le compte de tous les événements qui s'étaient produits depuis le début de la soirée.

Quelque part en ville, les cloches de l'église sonnèrent minuit.

— Super, murmura Buffy. L'heure des sorcières. Comme si je n'avais pas déjà assez d'ennuis avec les vampires et les zombies.

Elle voulut se remettre en route, mais quelque chose attira son regard. Au sommet d'une colline, une croix plantée dans le sol se détachait au clair de lune. Une croix? Pas vraiment. On aurait plutôt dit...

L'estomac de Buffy se noua. Tous les muscles de son corps se raidirent, tandis que son cœur se mettait à battre la chamade.

D'ordinaire, un épouvantail montait la garde sur cette colline. Elle était presque certaine de l'avoir aperçu de loin. Mais... Qu'était-il devenu?

Il avait plu toute la journée. Willow et Alex l'avaient mise en garde contre les épouvantails trempés par la pluie d'Halloween; ils lui avaient bien dit de ne pas pénétrer sur leur territoire... C'était une raison suffisante pour avoir peur, mais pas pour être en proie à la panique que ressentait Buffy. Une terreur aveugle et paralysante, qui lui donnait envie de se rouler en boule sur le sol pour n'en plus bouger. Ce n'était pas naturel. On aurait plutôt dit...

— De la magie, chuchota la jeune fille.

Quoi qu'il en soit, elle n'avait plus la moindre envie de longer le muret pour rejoindre la route. Elle était prête à retourner se colleter avec la horde de zombies, pourvu qu'elle sorte au plus vite de ce champ. Et elle venait de se rendre compte qu'elle avait laissé son sac de Tueuse dans le cimetière.

Buffy voulut sauter le muret, mais se heurta à une barrière invisible. Le souffle coupé, elle retomba sur le sol.

À présent, elle comprenait pourquoi les zombies ne s'aventuraient pas dans le champ : ils ne pouvaient pas. Et ce qui les empêchait de sortir était en train de l'empêcher de rentrer. La respiration de la jeune fille s'accéléra.

Quelque part sur la colline, un sifflement s'éleva. *Faites que ce soit juste le vent...*

— Je t'attendais, Tueuse.

15

Pendant que la Gilesmobile filait vers le cimetière, Willow regardait par la vitre côté passager. À l'arrière, Alex se tordait le cou pour scruter les ténèbres à travers le pare-brise.

Quelque part au loin, le tonnerre gronda, et l'air parut se charger d'humidité. Willow frissonna.

— Je ne crois pas que ce soit un phéno-mène naturel qui ait coupé les lignes télé-phoniques, observa Giles en appuyant sur l'accélérateur.

— Plutôt un phénomène surnaturel, dit Willow en jetant un coup d'œil dans le rétro-viseur. Quelque chose ou quelqu'un voulait empêcher Buffy de vous contacter. Je me souviens qu'au *Bronze* un des vampires a dit à Buffy qu'ils étaient de repos ce soir. C'est peut-être vrai…

Avec un peu de chance, songeait-elle, leur amie avait déjà éliminé Samhain, le roi-citrouille. Ils n'auraient plus jamais à redouter Halloween.

— Tu oublies un truc : un quart d'heure plus tard, Buffy a dû pulvériser ce gars pour cassage de croûte abusif, grogna Alex. Et que fais-tu des évadés du ranch de l'enfer qui nous ont poursuivis ?

— Roy Rogers et Dale Evans, railla Giles.

Les jeunes gens lui jetèrent un regard lourd d'incompréhension.

— C'était un célèbre couple de gardiens de vaches, expliqua Giles. Vos soupirants ont dû s'inspirer d'eux pour leurs costumes…

Le bibliothécaire se tut soudain.

— Giles, demanda Willow, qu'est-ce qui ne va pas ?

Sans un mot, le conducteur tendit un doigt pour montrer quelque chose.

Devant eux, le portail en fer forgé du cimetière se découpait sur le ciel nuageux. De l'autre côté, un cadavre était pendu aux branches d'un arbre rabougri.

— Non, gémit Willow. C'est impossible !
Ravalant sa terreur, elle ouvrit la portière.

— Attends ! lui cria Giles.

Mais, avant qu'il ait pu immobiliser sa voiture, la jeune fille bondit dehors. Elle s'élança vers le cimetière en trébuchant sur le sol mouillé. Un étau lui broyait le cœur.

Willow avait déjà eu peur pour Buffy, mais elle n'avait jamais réellement cru que son amie puisse mourir. Que les forces des ténèbres soient capables de gagner…

— Buffy ! hurla-t-elle.

Elle s'arrêta au pied de l'arbre ; un soulagement mêlé de tristesse l'envahit. Ce n'était pas Buffy, mais M. O'Leary — ou plutôt, ses restes — qui se balançait au-dessus d'elle.

Willow observa le cadavre un moment, et sentit des larmes lui monter aux yeux. Puis elle détourna le regard. Elle devait se concentrer sur une autre priorité.

— Buffy ? appela-t-elle d'une voix timide.

Le temps qu'elle se reprenne, Giles et Alex l'avaient rejointe. Le bibliothécaire portait son sac de toile, et Alex l'arbalète. Tous deux contemplèrent le pendu.

— Oh, mon Dieu, balbutia Alex, le visage blanc comme de la craie.

— Ça empire, fit observer Willow en lui tirant la manche.

— Je déteste ça, grommela son ami en se tournant dans la direction qu'elle lui indiquait.

— Comment se fait-il que les pierres tombales remuent ?

— Ce ne sont pas des pierres tombales, répondit Giles d'une voix inquiète. Ce sont des zombies, des cadavres ambulants.

Les créatures gémirent toutes ensemble. Leur plainte atroce atteignit Willow comme un coup de poing à la figure. La jeune fille tituba sous le poids de leur désespoir ; ses genoux faillirent céder sous elle.

Il y avait des dizaines, peut-être des centaines de zombies, et tous étaient rassemblés au fond du cimetière. Willow fut soulagée qu'ils ne se soient pas aperçus de leur présence. Puis, comme si elles avaient surpris les pensées de la jeune fille, un groupe de créatures pivotèrent pour détailler les nouveaux arrivants. Certaines se dirigèrent vers eux, tandis que les autres formaient un rempart de chair pourrissante contre le muret de séparation.

— On dirait M. Flutie, grogna Willow en désignant un des cadavres qui trébuchaient dans leur direction.

— Ils sont coincés ici, supposa Alex en se bouchant les oreilles. Ils ne le supportent pas, et c'est pour ça qu'ils se lamentent.

— Je ne crois pas, répondit Giles. Regarde, certains sont sortis et se rassemblent autour de ce champ.

— Quel champ ? s'exclamèrent en même temps Alex et Willow.

La jeune fille se dressa sur la pointe des pieds, mais elle était trop petite pour voir par-dessus la masse des zombies.

— Ils s'alignent le long du périmètre, mais ils n'y pénètrent pas, commenta Giles. Étrange…

— Y a-t-il un épouvantail ? Vous en voyez un ? demanda Willow d'une voix pressante.

— Non, répondit le bibliothécaire. Mais il semble clair que l'entrée de ce champ leur est interdite.

Willow sentit qu'Alex lui flanquait une tape sur l'épaule.

— Qu'y a-t-il ? s'affola la jeune fille. Tu as vu un épouvantail ?

Nouvelle tape.

— Enfin, Alex, réponds-moi !

Elle voulut se tourner vers lui, puis réalisa qu'il se tenait un peu en retrait, sur sa droite. Ça ne pouvait donc pas être lui qui touchait son épaule.

Au moment où Willow pivotait, un zombie borgne se jeta sur elle. La bouche du revenant s'ouvrit toute grande ; un ver de terre en sortit en se tortillant.

— À l'aide ! hurla la jeune fille, paniquée.

— Willow ! s'écria Giles.

Il bondit vers elle et la tira en arrière tout en abattant son sac sur la tête du zombie. Le crâne pulvérisé, celui-ci s'effondra sur le sol.

— Reculez, ordonna Giles alors que trois autres morts vivants avançaient d'un air menaçant.

Les créatures se séparèrent, chacune prenant pour cible un des compagnons. Visiblement, les zombies n'étaient pas plus partageurs que les vampires.

— Changement de plan, gargouilla Alex. Qu'est-ce qu'on fait ?

— On recule, répondit le Gardien, les dents serrées.

— Et ensuite ? demanda Willow.

— On continue.

Ils regardèrent autour d'eux : les zombies les avaient encerclés. Leurs gémissements parurent atteindre leur apogée. Pourtant, une voix basse et sifflante se fit entendre.

— Je t'attendais, Tueuse.

Les cheveux de Willow se dressèrent sur sa tête. Le ton de ces quelques mots exprimait une haine inconcevable. La voix était le mal à l'état pur.

— Ça vient du champ ! cria Alex à l'oreille de Willow, tout en risquant un coup d'œil vers le fond du cimetière.

Les créatures massées au pied du muret se retournèrent, comme si elles prenaient conscience que trois cerveaux juteux se trouvaient à leur portée.

— Buffy est peut-être là-bas, continua Alex, désespéré. Willow, il a plu et Buffy est peut-être dans un champ.

Il grimaça.

— Rectification : il a plu et Buffy se trouve *sûrement* dans ce champ.

Il tendit un doigt.

— Tu crois qu'elle… commença Willow.

Puis elle aperçut le sac posé contre une pierre tombale.

— Giles ! s'époumona-t-elle. Buffy a perdu ses affaires ! Nous devons les lui rapporter !

— Rapporter les affaires de Buffy. Bonne idée, marmonna Alex en repoussant le zombie qui s'était porté volontaire pour le soulager de son cerveau. Ce qui serait encore mieux, c'est d'y arriver intacts… et ça paraît déjà plus problématique.

— Ils sont trop nombreux pour que nous les combattions, acquiesça Giles en décochant un coup de poing à son adversaire.

— Nous devons les maintenir à distance jusqu'à ce que j'aie une idée, poursuivit le bibliothécaire.

— Pardon ? s'étouffa Willow.

Elle grimaça en voyant un zombie vêtu d'une robe de prêtre s'approcher d'elle. Il ouvrait et refermait la bouche en produisant

142

un son très agaçant. Rien dans son regard ne laissait supposer qu'il avait un esprit, et ça le rendait encore plus effrayant.

— Buffy! appela Willow aussi fort qu'elle put. Buffy, on arrive le plus vite possible!

16

— **B**uffy !

C'était la voix de Willow et elle venait du cimetière, là où se pressaient encore des centaines de zombies.

— Willow, tu vas bien ? cria Buffy. Alex et Giles sont avec toi ?

— Oui. Mais ces monstres sont tellement nombreux ! répondit son amie. On essaye de te rejoindre. On a ton sac de Tueuse et quelques trucs supplémentaires que Giles t'a apportés.

— Non ! Surtout, n'approchez pas ! ordonna Buffy. Je ne peux plus revenir vers vous, mais ne rentrez pas dans le champ !

Paniquée, elle poussa de plus belle la barrière invisible. De l'autre côté, une horde de zombies affamés faisaient de même en gémissant.

— Tirez-vous d'ici ! cria Buffy.

— On ne peut pas. Ils nous encerclent ! répondit Willow.

C'est alors qu'une voix terrifiante se fit entendre :

— Tueuse.

Il y avait dans cette voix quelque chose qui effrayait Buffy davantage que toutes les horreurs qu'elle avait affrontées dans sa vie.

— Viens à moi, Tueuse.

Buffy fit volte-face et balaya l'horizon du regard. Sur sa droite, des arbres. Sur sa gauche, la colline et la croix qui avait naguère soutenu l'épouvantail. À son pied, niché dans un vallon, se dressait une sorte de bâtiment.

Des nuages noirs assombrissaient le ciel, menaçant de cacher la lune. Buffy avait l'impression que quelqu'un l'observait.

— Désolée, mais ma mère m'interdit de parler aux inconnus, dit-elle le plus fermement possible.

Pour toute réponse, un rire cruel sembla glisser vers elle, venant du vallon.

La jeune fille pivota sur elle-même. À ses pieds, le sol était détrempé par la pluie, mais des formes trapues s'y distinguaient clairement.

Des citrouilles. Elle se trouvait dans un champ de citrouilles.

— Viens, ou je tue tes amis, ordonna la voix.

Buffy ne trouva rien à répondre. Aucune repartie cinglante ne lui vint à l'esprit. Elle fit un pas en avant et trébucha. Incapable de retrouver son équilibre, elle atterrit à quatre pattes dans un enchevêtrement de vrilles végétales.

Son impression d'être observée s'amplifia. Alors qu'elle levait la tête, les vrilles semblèrent bouger entre ses doigts. Elle baissa les yeux. Une petite citrouille frémissait comme si elle allait se jeter sur elle. D'un coup de poing bien placé, Buffy la réduisit en purée orange.

Un rire maléfique emplit les oreilles de la jeune fille.

— Viens.

— Willow, tu m'entends? appela Buffy.

Pas de réponse.

Alors, elle réalisa que les gémissements des zombies s'étaient tus. Seuls les battements de son propre cœur résonnaient à ses tympans.

Buffy lutta pour se relever.

— Giles ?

Toujours pas de réponse.

La gorge serrée, elle commença à gravir la colline. Soudain, telle une gigantesque volute de fumée, un nuage noir passa devant la lune, plongeant la jeune fille dans les ténèbres.

Buffy pensa à son sac de Tueuse, resté dans le cimetière. Elle n'avait rien pour se défendre. Derrière elle, quelque chose craqua. Elle fit volte-face et se mit instinctivement en position de combat, mais elle ne vit rien.

Un éclair déchira le ciel, illuminant le champ. Sept citrouilles étaient disposées en demi-cercle derrière Buffy. Peut-être se trouvaient-elles déjà là avant son arrivée. Dans le doute, la jeune fille les pulvérisa.

Un autre éclair. Buffy pivota vers la colline.

Une silhouette décharnée se tenait à son sommet, la tête enveloppée par les ténèbres. Elle portait un pantalon tombant en accordéon et une chemise en lambeaux. Les mains sur les hanches, les pieds chaussés de

147

bottes de travail, elle toisait Buffy. De la paille dépassait de ses manches.

Buffy recula.

Un troisième éclair lui permit de voir le visage de l'épouvantail. Elle ouvrit la bouche pour crier, mais aucun son n'en sortit.

La tête du monstre était une énorme citrouille pourrie. Des flammes vertes brillaient au fond des cavités triangulaires de ses yeux, projetant des ombres sinistres. Son rictus fendu d'une oreille à l'autre, garni de crocs orange, semblait à la fois figé et terrifiant. La créature inclina la tête pour mieux détailler Buffy. Un filet de bave coula le long de son menton, tandis qu'elle claquait des mâchoires avec une joie malsaine.

Cet adversaire-là n'avait rien à voir avec les zombies. Il semblait d'une intelligence terrifiante.

Il leva les bras. Buffy vit que ses mains se terminaient par des griffes affûtées comme des lames de rasoir. De sa bouche jaillit un flot de sang rendu presque noir par la lueur verte de ses yeux.

Il chuchota :

— Joyeux Halloween.

17

En reculant pour échapper à l'épouvantail, Buffy ne put s'empêcher de penser : *C'est la fin.* Derrière elle, les citrouilles éclatèrent de rire. Quelque chose remua alors contre la botte droite de la jeune fille. Sans regarder son agresseur, elle lui donna un coup de pied. Des dents pointues s'enfoncèrent dans le cuir et lui mordirent les orteils.

— Aïe ! cria-t-elle.

L'épouvantail baissa les yeux vers elle.

—Tu trouves que ça fait mal ? dit-il de sa voix caverneuse. Ce n'est rien comparé à la douleur que tu ressentiras quand j'arracherai de ta poitrine ton cœur encore palpitant.

Buffy gargouilla :

— Samhain…

—Tueuse…

L'épouvantail tendit un bras vers la jeune fille et lui fit signe d'approcher. Il ne fut pas difficile de résister : Buffy était paralysée par la frayeur.

— Viens à moi, maintenant, ordonna l'épouvantail. Viens te perdre dans l'éternel cauchemar des heures figées. Abandonne-toi à la terreur des sorcières, des goules, des démons, de la douleur, de l'agonie, de la mort et des ténèbres qui t'attendent. Dépose ta vie à mes pieds, et je te délivrerai de l'épouvante sans nom qui t'habite.

— Je ne suis habitée par rien du tout, protesta faiblement Buffy.

Samhain eut un sourire hideux qui manqua de faire basculer en arrière la moitié supérieure de sa tête. Du sang coula de sa bouche et vint éclabousser le sol.

— Bien sûr que si, affirma-t-il. En ce moment, tu revis toutes les peurs que tu as jamais éprouvées. Tu te souviens, quand tu étais petite, comme tu étais certaine que tes poupées te regardaient dans le noir ? Qu'elles bougeaient dès que tu avais la tête tournée ? Tu te souviens de ta penderie, dont la porte s'ouvrait en grinçant la nuit ?

Oui, Buffy s'en souvenait.

— Eh bien, c'était mon œuvre, déclara fièrement Samhain. J'étais le monstre sous ton lit, l'inconnu qui te suivait jusque chez toi, celui qui t'attendait dans le couloir un couteau à la main. Je commande aux peurs de l'humanité, je les provoque, je me sers d'elles pour vous étouffer tous. Et je tue les Tueuses.

Buffy trembla violemment. Maintenant, elle avait peur de tout. Peur de lever le petit doigt, peur de respirer, peur de mourir.

— Tu ne m'arrêteras pas, fillette, ricana Samhain.

Buffy redressa la tête. À présent, les monstres n'étaient plus de simples cauche-mars d'enfance : ils faisaient partie de sa vie quotidienne. Et, aussi effrayée qu'elle soit, ça ne l'empêchait pas de les affronter et de les vaincre.

La jeune fille dévisagea Samhain.

— Oh, mais je t'arrêterai, espèce de ci-trouille pourrie. Tu n'es pas le souverain de toutes les peurs, seulement celui d'Hallo-ween.

Samhain trembla de fureur. Des langues de flammes vertes jaillirent de ses yeux et de sa bouche, tandis qu'un horrible grondement naissait dans sa poitrine et faisait trembler le sol sous les pieds de Buffy.

— Assez ! tonna-t-il.

Il écarta les bras. Le ciel s'ouvrit, et des trombes d'eau se déversèrent sur la Terre.

Buffy ressentit une atroce douleur aux chevilles. Elle baissa les yeux.

Les citrouilles avaient formé un cercle autour d'elle, et elles étaient en train de déchiqueter ses bottes à l'aide de leurs dents triangulaires. Buffy tenta de s'en débarrasser, puis releva la tête juste à temps pour voir Samhain bondir sur elle tel un énorme loup.

Elle poussa un cri et s'accroupit. Son adversaire passa au-dessus d'elle. Pivotant, elle adopta une posture défensive, puis envoya son pied dans ce qui tenait lieu d'estomac au monstre, aussi fort qu'elle le put.

Ce fut comme si elle avait frappé un mur de béton. Une vibration remonta le long de sa jambe. Le souffle coupé, elle s'écroula sur le dos. Sa terreur revint à la charge. Samhain était le mal incarné ; jamais elle n'aurait dû le toucher.

Alors que l'épouvantail se jetait sur elle, Buffy se releva, fit un bond sur le côté et commença à dévaler la colline. Elle devait s'éloigner de lui au plus vite.

Une pluie torrentielle s'était abattue sur le champ. Buffy glissa et tomba une bonne douzaine de fois. Seule la lueur fantomatique des yeux de Samhain perçait les ténèbres.

L'épouvantail se lança à sa poursuite.

Buffy avait les mains et les genoux couverts de boue et de sang. Sur sa droite, elle aperçut des lumières vacillantes dans le cimetière et se demanda si c'étaient Giles, Willow et Alex avec son équipement de Tueuse. Les reverrait-elle un jour ?

— Tu ne peux pas m'échapper, gronda Samhain. Tu ne peux pas me vaincre.

Buffy sentit un souffle glacé dans son cou et accéléra encore jusqu'à ce que son cœur menace d'exploser.

De toutes parts, de grosses citrouilles se jetaient sur Buffy pour la mordre. La jeune fille savait bien que c'était dû aux pouvoirs de Samhain, mais il lui semblait pourtant que les végétaux étaient animés par leur propre volonté.

Elle était trempée de la tête aux pieds, couverte d'écorchures, de bleus et de marques de dents.

— Tu ne peux pas me vaincre, répéta Samhain.

— Ça va, ça va : j'ai compris, grommela Buffy. Je ne suis pas sourde.

Sous ses pieds, le sol redevint plat. Elle réalisa qu'elle se trouvait au fond du vallon, non loin de l'endroit où elle avait aperçu un bâtiment quelques minutes plus tôt.

Elle plissa les yeux pour mieux percer les ténèbres.

Un éclair déchira le ciel.

Le bâtiment se trouvait juste en face d'elle. C'était une grange.

Instinctivement, Buffy s'élança pour s'y mettre à l'abri. Puis elle comprit que Samhain la rabattait vers la bâtisse : une fois à l'intérieur, elle serait prise au piège.

Mais lui aussi.

Au dernier moment, Buffy changea de direction et longea un côté du bâtiment.

— Je te vois, Tueuse, se vanta Samhain derrière elle. Je distingue chacun de tes mouvements. Il n'existe nul endroit où se cacher du Sombre Roi de Samhuinn.

Quelque chose fouetta les genoux de Buffy. La jeune fille venait de s'engager dans un champ dont la végétation lui arrivait au niveau des hanches. Elle jeta un coup d'œil par-dessus son épaule. La lueur verdâtre des yeux de l'épouvantail se trouvait à une vingtaine de mètres derrière elle.

— Aidez-moi, je vous en supplie, chuchota-t-elle.

Elle s'allongea à plat ventre dans la boue. Immobile, retenant son souffle, elle serra les dents. L'odeur d'herbe mouillée fut soudain remplacée par des relents de pourriture.

— Je viens te chercher, Tueuse, la nargua Samhain.

Les pas de l'épouvantail faisaient trembler le sol sous son ventre.

Bientôt, Samhain serait sur elle.

— Je vais te détruire !

18

Dans le cimetière, sous la pluie battante, les zombies avaient encerclé les trois compagnons.

Alex regarda Willow qui avait des dispositions étonnantes en matière de lutte contre les morts vivants.

— Giles, il serait temps de trouver un plan de rechange, dit Alex en décochant un coup de pied au zombie qui l'attaquait.

Sa lampe-torche à la main, Giles s'efforçait depuis quelques minutes de sortir de son sac un grimoire contenant un sort anti-zombies. Mais l'assaut incessant des créatures l'empêchait d'y parvenir.

— Regardez ! cria Willow en tendant un doigt. Ils ont laissé une brèche entre eux. Si nous arrivons à grimper en haut de cette crypte…

Alex abattit son arbalète sur la tête d'un zombie qui s'apprêtait à arracher l'index de Willow d'un coup de dents. La créature glissa dans l'herbe mouillée et s'affala sur le sol.

— Merci, dit la jeune fille. Tu la vois, cette brèche?

Alex voyait. À force de bousculer les zombies, les trois compagnons avaient ouvert un passage plus ou moins dégagé entre eux et la masse imposante d'une crypte.

— Qu'est-ce qu'on fait? On y va? demanda Alex au bibliothécaire.

— Oui.

Giles éteignit la lampe et la rangea dans son sac. Le pâle clair de lune faisait paraître son visage aussi gris et creux que celui d'un zombie.

— Willow, prends le sac de Buffy; je porterai le mien. Alex, tu te charges de l'arbalète.

Le jeune homme fourra l'arme sous son bras. Puis il se pencha comme un athlète dans ses starting-blocks et cria:

— Trois, deux, un, partez!

Il jaillit devant Willow, bousculant les zombies sur son passage.

— On est juste derrière toi ! cria Willow dans son dos.

D'un coup de pied bien placé, Alex abattit la dernière créature qui se dressait entre eux et la crypte. Ils jetèrent leurs affaires sur le toit.

Les cheveux collés sur son crâne par la pluie, le bibliothécaire fléchit les genoux et croisa ses mains pour faire la courte échelle.

— Toi d'abord, Willow.

La jeune fille s'accrocha au bord du toit de pierre et se hissa maladroitement dessus.

— À toi, dit Giles en se tournant vers Alex.

— Non, vous d'abord, riposta le jeune homme. Vous êtes le seul à pouvoir les arrêter définitivement.

— Alex, ne discute pas avec moi. Je suis le bibliothécaire de ton lycée, insista Giles comme si ce titre avait du poids en la circonstance.

— Oh, la voix de l'autorité se fait entendre, railla Alex.

Giles leva les yeux au ciel.

— Dans ce cas, c'est le Gardien qui te le demande.

Les zombies se rapprochaient; Alex posa son pied dans les mains croisées de Giles et se propulsa vers le toit.

Comme il était plus grand et plus musclé que Willow, il parvint à s'y hisser sans difficulté. Roulant sur le ventre, il tendit les mains pour que le bibliothécaire les rejoigne. Mais un zombie en uniforme de gendarme saisit Giles par le cou.

— Non! hurla Willow.

Alex saisit un ange de pierre qui s'était détaché de son socle et le jeta sur la tête du zombie. Celui-ci s'effondra, le crâne défoncé. Les deux jeunes gens attrapèrent les mains de Giles et le soulevèrent promptement.

— Hisse et ho! s'exclama Alex.

— Comment peux-tu plaisanter dans un moment pareil? demanda Willow.

— Si je ne le fais pas, je vais me mettre à hurler, avoua le jeune homme en aidant Giles à prendre pied sur le toit.

160

— Je ne comprendrai jamais l'humour des adolescents américains, confessa le bibliothécaire. Des adultes non plus, d'ailleurs.

Il ramassa son sac, en sortit le journal de Timothy Cassidy et, se penchant pour le protéger de la pluie, chercha le passage qui l'intéressait.

— Euh, Giles… Ne devriez-vous pas plutôt consulter *Royaumes magiques* pour trouver un sort de dézombification ? interrogea Alex, nerveux.

— Il a raison, acquiesça Willow.

— Voici mon raisonnement, expliqua le bibliothécaire en feuilletant le cahier : Samhain est considéré comme l'esprit d'Halloween, le souverain des âmes mortes qui hantent le royaume des vivants. Que sont les zombies sinon des âmes mortes ? Ses suppôts ? Ses esclaves ?

— D'accord, admettons. À quoi ça nous sert de le savoir ? demanda Alex, pragmatique.

— M. Cassidy a rédigé un sort qui permet d'annuler le pouvoir de Samhain sur les morts, répondit Giles. Ah, le voilà ! Il l'appelle *L'Hymne à Orphée* : « Roi des

Morts, ton règne sur ces âmes en peine s'achève maintenant. Disparais, esprit qui anime à tort des membres justement immobilisés !... »

Il dessina en l'air un étrange symbole.

— « ... Disparais, démon qui suscite une faim malsaine dans des estomacs endormis... »

Les zombies chancelèrent sur leurs jambes, pour ceux qui en possédaient encore.

— « ... Cesse de tourmenter ces malheureux et rends leur âme à Dieu ! »

Les créatures se figèrent... et tombèrent en poussière.

Stupéfaits, Alex et Willow contemplaient le massacre.

— Beau boulot pour un Anglais, lâcha le jeune homme avec un sifflement admiratif.

Giles ne prit pas la peine de répondre. En se retournant, Alex et Willow virent qu'il avait sorti un bâton de son sac.

— Il doit y avoir des allumettes dans les affaires de Buffy, déclara-t-il.

— Il y en a, confirma Alex. (Il fouilla le sac de leur amie.) « Disparaissez, viles ténèbres ! »

Giles ne releva pas...

— Qu'allez-vous faire ? s'enquit Willow, curieuse.

Le bibliothécaire tendit à chacun des jeunes gens une gousse d'ail et quelques feuilles vertes.

— C'est de l'angélique, expliqua-t-il. On l'appelle aussi mort-aux-poules, racine de folie ou tabac empoisonné, une belle redondance, si je puis exprimer mon avis.

— Sans compter que c'est répétitif, fit observer Alex sans sourciller.

— Bref, une plante très toxique, reprit le bibliothécaire. On dit que les Égyptiens s'en servaient pour assassiner les pharaons dont la cote de popularité laissait à désirer.

Alex posa un regard hésitant vers sa main.

— Et que va-t-on en faire ?

Giles désigna quatre bâtons.

— La même chose qu'avec l'ail : en frotter l'extrémité de ce sceau d'if.

— Un seau ? Sans vouloir vous contrarier, ça ressemble plutôt à un bâton, objecta Alex.

— Un sceau est quelque chose qui protège contre le mal, expliqua Willow en prenant la branche d'if.

— Oh! Et moi qui croyais que c'était le boulot du Gardien, ironisa le jeune homme. Ces feuilles ne risquent-elles pas de nous tuer dans le quart d'heure?

— Nous, non, lâcha Giles, qui perdait patience. Pour une fois, Alex, fais ce que je te dis et ne discute pas.

Vexé, Alex s'exécuta.

— Je peux quand même demander à quoi ça va servir? dit-il au bout d'un moment.

— D'après Cassidy, expliqua Giles en tapotant de l'index la couverture du cahier, nous devrons les allumer avec de la cire pour éclairer notre chemin dans les ténèbres. Ensuite, il nous faudra les tremper dans du jus de pomme pour nous remémorer les péchés de l'humanité et préserver notre relation avec le bien.

— Du jus de pomme? répéta lentement Willow.

— Exact. (Giles renifla sa main.) L'odeur est plutôt forte, n'est-ce pas? dit-il en plissant le nez.

— Ça pue, oui! grogna Alex. Récapitulons. Les zombies sont redevenus la poussière qu'ils n'auraient jamais dû cesser d'être, et nous, les abeilles laborieuses, répandons notre miel empoisonné sur des branches pendant que Buffy s'éclate dans les bois avec le grand méchant loup. Pourquoi ne pas retourner à la voiture et rouler jusqu'à l'autre extrémité du champ ? Ce serait plus sûr que de le traverser à pied.

Giles eut l'air surpris.

— Mais c'est une excellente idée, Alex. Pourquoi pas, en effet ?

Willow secoua la tête.

— Parce que, ayant grandi à Sunnydale, nous savons qu'il y a un verger tout près d'ici, expliqua-t-elle en désignant les champs.

— Parfait ! s'exclama Giles en se frottant les mains. Comme ça, nous pourrons ramasser des pommes et achever les sceaux.

— Sauf qu'il reste le problème de la barrière, lui rappela Willow.

— Rien ne dit qu'elle sera toujours là. Pour le moment, occupons-nous de verser la cire sur nos branches. Il doit y avoir des bougies dans le sac de Buffy.

Il y en avait. Une allumette craqua dans les ténèbres, projetant des ombres jaunes sur le visage du Gardien. Alex le regarda saisir une bougie et marmonner dans la langue du Chasseur de Fantômes, en l'occurrence en latin.

Une odeur de soufre domina temporairement celle des plantes, tandis que Giles faisait couler de la cire sur les branches. Quand la première fut prête, il la tendit à Willow. La seconde fut pour Alex.

Il conserva les deux dernières.

Puis il sauta de la crypte et se dirigea vers le muret. Sans hésiter, il l'enjamba et pénétra dans le champ.

— La voie est libre, annonça-t-il.

Alex grimaça.

— Ô joie ! Samhain daigne nous laisser entrer.

— Je te rappelle que nous devons sauver Buffy ! le réprimanda Willow.

— Ça sera bien la première fois. (Alex eut un pauvre sourire.) D'habitude, c'est plutôt elle qui nous sauve. Ne t'inquiète pas, Willow. Tu sais que je suis toujours partant pour faire des âneries la nuit d'Halloween, surtout si ça me donne une chance de finir à l'hôpital. Je ferais n'importe quoi pour sécher le lycée pendant un mois !

Willow lui serra la main.

— Mon héros, dit-elle si sincèrement qu'il la crut presque.

Les jeunes gens sautèrent du toit de la crypte.

— Après vous, très chère, dit Alex en s'inclinant pour laisser passer Willow.

Le sac de Buffy en bandoulière, la jeune fille se dirigea vers le muret, l'escalada et se retrouva de l'autre côté.

— J'y suis, annonça-t-elle, nerveuse.

— Je vais allumer ton sceau, proposa Giles. Il te protégera jusqu'à ce que nous ayons atteint le verger.

Le Gardien répéta l'opération avec la branche d'if d'Alex.

— Nous devons nous dépêcher. Samhain ne tardera pas à se rendre compte de notre présence.

— Je croyais que ces trucs nous protégeaient ! protesta Alex.

— En partie seulement. Mieux vaut ne pas prendre de risques, expliqua Giles, mal à l'aise.

— Ça, il aurait fallu nous le dire avant qu'on rencontre Buffy, grommela Alex.

Giles prit une inspiration.

— Je ne veux pas vous mentir… Les amis, je ne suis pas certain que mon plan marchera.

Les deux jeunes gens gardèrent le silence quelques instants. Puis Willow leva le menton et dit :

— Après vous.

— Et que la route nous soit douce, fit Alex.

La pluie continuait à tomber. Pressant le pas, ils arrivèrent bientôt en vue du verger.

— Imbibez les sceaux de jus de pomme, ordonna Giles. Moi, j'ai des glyphes à tracer.

— Des glyphes ? répéta Willow, les sourcils froncés.

— Pour une fois que tu tombes sur un mot que tu ne connais pas, railla gentiment Alex.

— Ce sont des symboles sacrés, expliqua Giles. Ils…

Le bibliothécaire s'interrompit quand une silhouette pénétra à son tour dans le verger. Les trois compagnons se regardèrent, pleins d'espoir.

— Buffy ?

19

La pluie tombait encore plus fort sur le champ détrempé. Buffy accéléra, une seule idée en tête : échapper à Samhain.

Sa chemise et son short en lambeaux lui collaient à la peau. Ses bottes déchiquetées martelaient le sol, projetant des éclaboussures à chaque pas. Quelqu'un d'autre serait peut-être tombé, mais Buffy était la Tueuse. Buffy était agile. Buffy était… les quatre fers en l'air dans une flaque. Couverte de boue des pieds à la tête.

Elle se mit à genoux et jeta un coup d'œil en direction de la grange.

— Mon Dieu, je vous en prie, éloignez-le de moi ! murmura-t-elle avec ferveur.

Dans les ténèbres, elle ne parvenait pas à distinguer la silhouette de Samhain. Seule la citrouille pourrissante qui lui tenait lieu de visage, éclairée par les flammes vertes de ses yeux, se découpait sur la grange.

Buffy lutta contre la nausée. Elle se releva et se dirigea vers le verger en courant. Puis elle réalisa qu'elle allait devoir traverser le champ de citrouilles en sens inverse. Mais c'était un moindre mal : elle pouvait toujours sauter par-dessus ou les réduire en bouillie.

Restait la barrière magique. Si elle était toujours en place, Buffy n'aurait pas d'autre espoir que de continuer à fuir Samhain jusqu'à l'aube. Et elle n'était pas sûre que la lumière du jour le fasse disparaître. Après tout, ce n'était pas un vampire.

La jeune fille déboula entre les arbres sans se soucier du bruit qu'elle faisait.

—Tueuse… appela une voix doucereuse.

Buffy sursauta et s'immobilisa en regardant autour d'elle. Samhain trichait, elle en était sûre. Il ne pouvait pas avoir couvert si rapidement la distance qui les séparait. Mais elle savait qu'il ne la laisserait pas sortir du champ vivante.

Buffy se remit à courir, écrasant des brindilles et des pommes trop mûres. Sa gorge commençait à brûler ; elle avait de plus en plus de mal à respirer.

Puis elle entendit une autre voix.

— Buffy ?

Stupéfaite, elle leva la tête. Malgré l'obscurité, Buffy distingua trois points lumineux devant elle… des points orangés, pas verts.

Donc, pas les yeux ni la bouche de Samhain.

— Willow ? appela-t-elle. Alex ? Giles ?

Buffy émergea à la lisière du verger et aperçut ses amis à quelques mètres sur sa droite. Ils avaient l'air presque comique, trempés jusqu'aux os, avec les cheveux plaqués sur le crâne et une torche ridicule à la main.

— Non ! protesta-t-elle. Je vous avais dit de ne pas venir ! Bougez-vous les fesses ! Il est juste derrière moi !

Comme pour appuyer les paroles de la Tueuse, un craquement retentit dans le verger. Samhain serait bientôt sur eux.

— Il… ? répéta Giles, nerveux. Alors, j'avais raison ? C'est bien… ?

— ... Samhain, oui. Il est très costaud, très moche et très remonté contre moi et contre tous ceux qui ont le malheur d'être mes amis, lâcha Buffy, haletante. Alors, ne traînez pas dans le coin !

Les bruits de pas se rapprochaient.

— Comment réussissez-vous à garder des torches allumées sous la pluie ? s'enquit soudain Buffy.

— C'est de la magie, expliqua Giles. J'ai réussi à mettre un plan au point.

— Un plan ? Super ! Je vous écoute. Parlez ! ordonna Buffy en jetant un coup d'œil terrifié par-dessus son épaule.

— Ces branches d'if ont reçu un traitement spécial. Ce sont des sceaux qui nous protégeront contre les créatures maléfiques et l'esprit d'Halloween. Mais ils ne nous permettront pas d'éliminer Samhain.

— Parfait. Dans ce cas, il ne nous reste qu'à allumer un feu, nous asseoir autour et chanter de vieilles rengaines en attendant l'aube, dit Buffy.

— Les sceaux se seront consumés d'ici là, objecta Giles, l'air sombre. Pour arrêter

Samhain, nous devons détruire son incarnation physique. Et encore, je ne suis pas certain que ça suffira.

« D'après le Gardien Cassidy, Erin Randall s'est servie du feu. Autrement dit, nous devons immobiliser Samhain et brûler l'épouvantail dont il a pris possession. Je connais des symboles qui permettront de l'emprisonner, mais nous n'avons pas le temps de dessiner tout un cercle.

— Tueuse… Je viens vous chercher, toi et tes amis. Ça doit faire quatre siècles que je n'ai pas dévoré le cœur d'un Gardien, siffla Samhain, la voix à peine couverte par le crépitement de la pluie.

— Oh, mon Dieu, souffla Giles, remontant ses lunettes sur son nez.

Buffy récupéra son sac de Tueuse et fouilla jusqu'à ce qu'elle trouve ce qu'elle cherchait.

— Une arme ? s'enquit Willow, pleine d'espoir.

— Absolument. *Vent de Lilas*, clama Buffy en brandissant un tube doré.

— Tu gardes ton rouge à lèvres dans ton sac de Tueuse ? s'étrangla Giles.

Alex vola au secours de Buffy.

— Une Tueuse dans le coup doit être préparée à toutes les éventualités. Pas vrai ?

— C'est exact. Giles, montrez-moi ces symboles, ordonna Buffy.

Le bibliothécaire lui tendit un petit cahier sur la couverture duquel se détachaient les mots : *Journal de Timothy Cassidy, Gardien*. Il l'ouvrit à une page couverte de dessins grossiers.

— Ce sont des glyphes, expliqua-t-il.

Buffy mit son sac en bandoulière et regarda autour d'elle.

— Il y a une grange par là, chuchota-t-elle en faisant un signe de la main. Les murs sont peut-être trop imbibés d'eau pour brûler, mais je suis sûre qu'elle est pleine de bon foin.

Une lueur éclaira le regard de Giles. À cet instant, le Gardien et la Tueuse se sentirent liés par un respect mutuel.

Ce fut le moment que choisit Samhain pour faire son apparition.

L'esprit d'Halloween jaillit du verger, ses doigts pareils à des lames de rasoir et ses crocs orange cliquetant d'un air avide. La jeune fille s'écarta d'un bond, tandis que Willow poussait un cri horrifié.

— Buffy! appela Alex.

Elle leva la tête juste à temps pour le voir lui lancer son arbalète. Elle rattrapa l'arme, sachant très bien que celle-ci lui permettrait seulement de gagner du temps.

Mais le temps était ce dont elle avait besoin.

— Ah, Tueuse, railla Samhain alors que Giles, Alex et Willow brandissaient leurs sceaux d'if enflammés. Je vois que tes amis se sont bien préparés. Félicitations, Gardien. Je suis ravi qu'on ne m'ait pas oublié durant ma longue absence.

— En mémoire de Timothy Cassidy et d'Erin Randall, nous te détruirons, roi-citrouille! rugit courageusement Giles.

Buffy se sentit fière de lui, mais Samhain n'eut pas l'air impressionné.

— Comment oses-tu m'appeler ainsi? Je ne suis pas un simple légume: je suis le seigneur-démon de toutes les peurs, maître de Samhuinn et d'Halloween! cria la créature, furieuse. Vos ridicules bouts de bois ne tarderont pas à se consumer; alors, je dévorerai vos cœurs !

Le visage pourrissant se tourna vers Buffy.

— Toi, Tueuse, tu n'as pas de protection, chuchota-t-il avec une joie mauvaise.

— Ben, voyons, répliqua-t-elle. T'es aveugle ou quoi ?

Elle épaula son arbalète et décocha une flèche vers Samhain. Le projectile traversa la citrouille de part en part, laissant deux trous aux bords déchiquetés.

Samhain poussa un grognement et recula d'un pas. Une traînée d'étincelles vertes tomba sur le sol.

Visiblement, l'arme ne suffirait pas à arrêter la créature. Buffy jeta l'arbalète aux pieds d'Alex et s'élança de nouveau vers le verger.

— C'est toi qui t'y colles, cria-t-elle, moqueuse.

— Gardien… quand vos sceaux toucheront à leur fin, je reviendrai vous chercher, toi et tes amis, promit Samhain.

Puis il se lança à la poursuite de Buffy.

Lorsque Buffy émergea du couvert des arbres, elle recommença à courir sous la pluie. Sa vie et celle de ses amis étaient en jeu.

— Tueuse, siffla Samhain dans son dos. Cette poursuite a assez duré.

La grange se dressait devant Buffy, ses portes coulissantes grandes ouvertes. La jeune fille fonça à l'intérieur et se dirigea aussitôt vers l'échelle qui menait au grenier à foin.

Elle grimpa aussi vite qu'elle put, puis se retourna, saisit l'échelle et la tira. Sans sa force prodigieuse elle n'y serait jamais parvenue.

Elle venait de se dissimuler dans le foin quand Samhain entra à son tour dans la grange.

— Je t'ai vue, Tueuse, déclara le roi-citrouille. Tu t'es cachée là-haut. Cette nuit, j'ai des yeux partout.

Buffy vit une citrouille sculptée posée sur le rebord de l'ouverture par laquelle, grâce à un système de câbles et de poulies, on faisait descendre le foin. Le légume ne bougeait pas, mais ses yeux triangulaires semblaient fixer la jeune fille. Puis il déclara avec la voix de Samhain :

— Je te voooooiiiiiis !

Buffy sentit la peur se répandre dans son corps. Sous ses pieds, le plancher trembla. Samhain était en train de grimper au poteau qui soutenait le grenier. Pour l'atteindre enfin. Pour lui arracher le cœur. Pour tuer la Tueuse.

— Non ! hurla Buffy.

Elle se releva d'un bond, courut jusqu'à la fenêtre et d'un coup de pied bien placé fit tomber la citrouille dans la cour.

Jetant un coup d'œil vers le bas, elle vit que Giles se tenait face aux portes de la grange. Derrière lui, Alex et Willow brandissaient leurs sceaux d'if. Une odeur étrange d'ail et de pomme vint se mêler à celles du foin et de la transpiration de Buffy.

Mais ce n'était pas le pire : Cette *chose*-là se hissait jusqu'à elle sans se dissimuler.

Du sac de Buffy, Giles tira un pieu dont il se servit pour tracer quelque chose dans la poussière, à l'entrée de la grange. Bientôt, celle-ci fut scellée par un puissant glyphe. Buffy le devina plus qu'elle ne le distingua.

Elle plongea la main dans sa poche et en sortit son tube de *Vent de Lilas*, son rouge à lèvres favori, du moins cette semaine… Elle le sacrifiait pour une bonne cause : sauver sa peau.

Elle ôta le capuchon et dessina le glyphe sur le bord de la fenêtre.

— Me voici, Tueuse, chuchota Samhain derrière elle. Tu ne peux plus t'enfuir. Retourne-toi pour m'affronter.

Buffy fit volte-face, lâchant son bâton de rouge.

Terminus, tout le monde descend.

— Tu sais sans doute que ta tête flambe, dit-elle, la gorge sèche, la voix rauque. Mais t'es-tu rendu compte que la grange aussi ?

L'atroce rictus de Samhain s'élargit ; du sang dégoulina de son menton jusqu'au sol. Buffy était certaine qu'il se contenterait de rire, puis fondrait sur elle pour lui arracher la tête. Mais Alex et Willow avaient bien travaillé, et déjà les flammes montaient à l'assaut des murs.

Samhain se retourna pour contempler le brasier.

— Gardien ! hurla-t-il. Tu seras le suivant !

La peur jaillissait de Samhain en vagues qui menaçaient de submerger Buffy. Elle fut agitée de frissons. Ses mains tremblaient, ses dents claquaient.

— J'en ai assez, murmura-t-elle. Je fiche le camp.

Elle pivota et grimpa sur le bord de la fenêtre en prenant garde à ne pas effacer le glyphe. Alors que Samhain poussait un grondement de dépit, Buffy sauta d'une hauteur de quinze mètres.

20

N'importe qui d'autre se serait tué en touchant terre. Pas Buffy. Parfois, être la Tueuse avait ses avantages.

— Uhnf! grogna Buffy, le souffle coupé par l'impact.

Elle roula sur le sol.

Quelques secondes plus tard, Willow et Giles se précipitèrent vers elle, pendant qu'Alex faisait le tour de la grange en brandissant son sceau.

—Tueuse! cria Samhain depuis la fenêtre du grenier.

Il semblait au bord de l'apoplexie : normal pour une créature sur le point de flamber dans l'incendie d'une grange.

— Ce n'est pas fini! Je reviendrai l'année prochaine, et cette fois je ne te donnerai aucun avertissement! Je ne jouerai plus avec toi, je me contenterai de te tuer. Et, si je n'y arrive pas, je recommencerai l'année d'après jusqu'à ce que j'aie goûté ta chair, ton âme et ton sang !

Buffy frissonna et se jeta dans les bras de Giles tandis que Willow se bouchait les oreilles.

— Elle ne t'écoute pas, citrouille bouffie ! cria Alex. Tu es cuite !

— C'est fini ? demanda Willow en se tournant vers Buffy.

La jeune fille fronça les sourcils.

— Je déteste quand tu fais cette tête, protesta son amie.

— Giles, de quoi parle-t-il ? interrogea Buffy. Je croyais que si nous le brûlions il disparaîtrait pour toujours.

Le Gardien poussa un soupir et glissa deux doigts sous ses lunettes pour frotter ses yeux irrités par la fumée.

— Je crains que non, Buffy. Il dit la vérité. À moins que nous ne puissions emprisonner son esprit dans le corps de cet épouvantail, le détruire ne fera que repousser le démon jusqu'à l'année prochaine. Il sera libre de revenir te chercher.

« Mais nous serons prêts à le recevoir. Aujourd'hui, nous n'avions aucune idée de ce que nous allions affronter. Et n'oublie pas que, au fil du temps, les pouvoirs de Samhain ne cessent de décroître.

Buffy fixa Giles, puis leva la tête vers la fenêtre de la grange où les yeux verts de Samhain semblaient se moquer d'elle.

— Pas question d'appuyer sur le bouton « Pause », déclara-t-elle fermement. C'est « Stop » ou rien.

Elle tendit une main.

— Alex, donne-moi ton couteau suisse.

Le jeune homme s'exécuta à contrecœur : ce superbe couteau multifonction n'avait pas quitté sa poche depuis l'école primaire.

— Giles, ordonna ensuite Buffy, passez-moi votre sceau.

— Que vas-tu faire ? s'enquit le Gardien.

— Si ce bâton représente une sorte de barrière pour Samhain, croyez-vous qu'il l'empêchera de quitter son corps d'épouvantail ?

— Ça semblerait logique, acquiesça le Gardien après un moment d'hésitation, mais nous n'avons aucun moyen d'en être sûrs.

Visiblement, il avait deviné le plan de Buffy et il ne lui plaisait pas du tout, parce que ni les granges en flammes ni les démons millénaires n'étaient bons pour la santé des Tueuses.

— Buffy, tu ne peux pas retourner là-dedans! protesta Alex. Et n'essaie pas de nous faire croire que c'est pour ton bien ou une ânerie dans ce genre.

— N'y va pas, ajouta Willow sur un ton suppliant.

À vrai dire, Buffy n'en mourait pas d'envie. Elle avait toujours très peur.

Samhain n'était pas parti, son corps d'épouvantail n'avait pas encore été calciné par les flammes.

La branche d'if était fine mais trop longue. Buffy en coupa un morceau qu'elle jeta, puis se servit du couteau d'Alex pour tailler en pointe son extrémité enflammée. Elle se brûla les doigts au passage, mais le sceau ne s'éteignit pas.

— De combien de temps je dispose avant que ce truc cesse de brûler? demanda-t-elle.

Giles haussa les épaules.

— Navré, mais je n'en sais rien. Tu le découvriras toi-même.

Buffy leva la tête vers lui.

— Giles, vous vous êtes bien débrouillé, dit-elle gravement. Vous m'avez sauvé la vie, et vous avez sans doute sauvé celle de beaucoup d'autres gens ce soir. Moi, je vous ai laissé tomber…

— Ce n'est pas… commença Giles.

Mais Buffy continua.

— Je ne tournerai plus jamais le dos à mes responsabilités, déclara-t-elle. Quoi qu'il arrive. Je suis la Tueuse. Vous refusez de me dire quelle est mon espérance de vie, mais vous m'avez enseigné que j'ai des devoirs. Et je jure que je vais les remplir.

Elle ramassa l'arbalète, qu'Alex avait récupérée dans le verger, et y encocha la branche d'if taillée en pointe. Celle-ci n'était pas vraiment droite, mais elle ferait l'affaire.

Buffy fit demi-tour et se dirigea vers la grange en flammes.

Samhain était debout, au bord de la plateforme du grenier. Le bâtiment menaçait de s'écrouler d'une seconde à l'autre, mais ça n'avait pas la moindre importance. Buffy devait détruire le démon pour toujours.

— Je savais que tu reviendrais ! rugit Samhain. Aucune Tueuse ne peut tourner le dos à la confrontation finale. Voilà pourquoi Erin Randall est morte il y a quatre siècles. Et pourquoi tu vas mourir aujourd'hui !

Dans une traînée de flammes, semant derrière lui des morceaux de son corps d'épouvantail, Samhain se jeta de la plate-forme, griffes tendues vers Buffy.

La jeune fille voulut épauler son arbalète, mais la fumée lui piquait les yeux, la faisant pleurer. Samhain atterrit devant elle. Elle sentit des lames de rasoir lui lacérer la figure et les bras ; elle lâcha son arme.

Du sang coulait de son front. Buffy battit en retraite, tandis que le démon s'élançait à sa poursuite. Les flammes le consumaient rapidement ; il devait se presser s'il voulait détruire la Tueuse avant que son corps ne devienne inutilisable.

Le problème, c'était que Buffy aussi devait se presser pour le bannir à jamais de la Terre.

— Il est presque dommage de t'éliminer, siffla Samhain. Mais c'est ce que j'apprécie le plus chez les Tueuses : elles sont toujours remplacées.

— Exact ! cria Buffy. Il y en aura toujours une pour s'opposer à toi.

Samhain plongea sur elle. Elle fit un pas de côté pour esquiver ses griffes. D'un coup de pied, elle détacha le bras de l'épouvantail du reste de son corps ; de la paille enflammée et des lambeaux de vêtements tombèrent sur le sol.

Le roi-citrouille passa de nouveau à l'attaque, et Buffy lui flanqua un coup de pied dans les genoux. Une jambe de Samhain se disloqua.

— Tu es rapide, gamine, ricana le démon. Détruis mon corps, meurs dans cette grange avec moi, et je reviendrai quand même.

Buffy s'immobilisa, la peur menaçant de la paralyser une nouvelle fois. Mais elle la repoussa avec détermination.

Samhain clopina jusqu'à elle. Même sur une seule jambe, il était rapide, mais pas autant que Buffy. Tandis qu'il plongeait sur elle, la jeune fille bondit dans les airs, effectua un saut périlleux et atterrit derrière son adversaire, près de l'arbalète. Elle s'accroupit pour la récupérer.

Le roi-citrouille poussa un rugissement de plaisir et de douleur mêlés. Pour se débarrasser de la Tueuse, il n'avait qu'à l'empêcher de sortir de la grange.

Au-dessus d'elle, Buffy entendit craquer les poutres.

— Meurs avec moi, Tueuse, chuchota Samhain.

— Toujours aussi romantique, railla Buffy en saisissant l'arbalète.

L'œil encore intact de Samhain s'agrandit quand il comprit ce que mijotait sa jeune adversaire.

Elle tira. Le sceau vola droit vers Samhain et se planta à l'endroit où se serait trouvé son cœur s'il en avait eu un.

— Noooon ! hurla le démon.

Il saisit la branche d'if, mais il n'avait plus assez de force pour l'extraire.

Au moment où le plafond s'effondrait, Buffy s'élança vers la porte. Elle plongea par-dessus le symbole qu'avait tracé Giles et roula sur elle-même dans la boue, à moitié étouffée par la fumée.

Immobile sur le sol, le visage couvert de suie, elle regarda la grange s'écrouler, puis écouta les cris de fureur du roi d'Halloween.

Giles, Alex et Willow la rejoignirent et l'aidèrent à se traîner jusqu'à un lieu sûr.

— On donne dans la pyromanie, maintenant ? plaisanta Alex.

— Je ne sais pas trop comment nous allons expliquer cet incendie au propriétaire, avoua Giles.

Saisissant la main de Willow et celle du Gardien, Buffy les entraîna vers le verger.

— Que fais-tu ? demanda Giles, intrigué. On ne peut pas s'en aller comme ça !

— Bien sûr que si ! répliqua Buffy, avant d'être prise d'une quinte de toux.

— Absolument, renchérit Alex.

— C'est même le plus sage, ajouta Willow.

— Mais…

— Giles, j'ai déjà été jugée une fois pour avoir mis le feu à un bâtiment ! cria Buffy. C'est pour ça que ma mère et moi sommes venues habiter ici, vous vous souvenez ? Je préférerais éviter une autre enquête.

— Tu habites déjà sur la Bouche de l'Enfer, fit remarquer Willow. Si tu te fais prendre, je n'ose pas imaginer où tu atterriras la prochaine fois !

— Ce n'est pas faux, admit Giles en se tournant vers Buffy.

Il marqua une pause.

— Mademoiselle Summers, j'espère que vous avez tiré une bonne leçon des événements de ce soir. À l'avenir, vous tournerez sept fois votre langue dans votre bouche avant de vous plaindre que les environs sont trop calmes.

Les trois jeunes gens dévisagèrent le bibliothécaire. Buffy fut la première à éclater de rire.

Découvre

La Moisson (n° 1)

en lisant ces quelques pages

[…]

Buffy était perdue. Elle errait dans un endroit qu'elle ne connaissait pas et n'avait pas envie de connaître. Une grotte souterraine, peut-être, ou l'antre de quelque horrible monstre, exhalant une odeur de pourriture. Troublée et inquiète, elle avançait dans la pénombre, essayant de comprendre où elle était et de trouver une sortie au plus vite.

Une partie de son cerveau savait qu'elle rêvait ; pourtant, une autre l'avertissait que cet endroit était beaucoup trop réel.

Des images envahirent son esprit puis s'évanouirent presque aussitôt, laissant dans leur sillage un vague souvenir. Elle vit des chandelles vaciller au-dessus d'un bassin écarlate… des doigts crochus entourés de flammes… des silhouettes de monstres et l'éclat argenté d'une croix.

Un rire démoniaque se répercuta entre des pierres tombales fêlées : des créatures sans visage la traquaient… Puis elle vit clairement la couverture d'un très vieil ouvrage relié de cuir où se détachait le mot VAMPIRE.

Elle se sentit remuer dans son lit, se débattre entre les draps alors que le rêve l'entraînait de plus en plus loin. Sans crier gare, une ombre maléfique, noire comme la mort, se dressa derrière elle, poussant un rugissement dont l'écho se répercuta dans ses tempes.

— Je m'emparerai de ton corps et je le rongerai de l'intérieur…

Buffy ouvrit brusquement les yeux.

Malgré la lumière matinale, elle sentait encore le cauchemar la menacer, tapi dans son cerveau.

Aveuglée par les premiers rayons du soleil qui pénétraient à flots dans sa chambre, elle s'assit dans son lit en clignant des paupières. Elle était réveillée à présent ; elle ne courait plus aucun danger.

En sécurité dans sa maison, elle retrouvait la réalité…

— Buffy?

— Oui, maman.

— Il est l'heure de te lever! Tu ne dois pas être en retard pour ton premier jour au lycée!

— Quelle plaie! grommela la jeune fille.

Elle se reprocha sa mauvaise volonté, balayant du regard les murs encore nus et les cartons empilés dans un coin de la pièce.

Poussant un soupir, elle chassa de son esprit les derniers lambeaux du cauchemar et se leva pour affronter la journée.

— Je suis sûre que tu vas beaucoup t'amuser, déclara Joyce Summers en regardant Buffy sortir de la voiture. Tu te feras plein de nouveaux amis. Sois un peu optimiste. Et surtout… tâche de ne pas te faire renvoyer.

— Promis.

Pendant que sa mère s'éloignait, Buffy resta immobile quelques instants pour observer de petits groupes d'élèves bruyants qui franchissaient d'un pas nonchalant les grilles du lycée Sunnydale.

Bon… Finissons-en une fois pour toutes.

Elle poussa un soupir et se mit en route. Perdue dans ses pensées, elle ne remarqua pas le séduisant garçon perché sur son skateboard qui slalomait entre les élèves.

— Attention… Laissez passer ! claironna Alex. Je ne sais pas encore bien freiner !

Très grand, il avait les cheveux noirs et arborait un air d'indifférence étudiée. Alors qu'il se dirigeait vers l'entrée du lycée, il aperçut une fille qu'il ne connaissait pas.

Elle était petite et mince, avec des cheveux blond foncé et de grands yeux bleus ; elle avait le visage en forme de cœur, du genre auquel il ne pouvait résister. Elle portait des bottes et une jupe vraiment courte. Passant près d'elle, Alex se tordit le cou pour mieux voir ses jambes… et oublia de regarder où il allait.

À la dernière seconde, il réussit à éviter les escaliers, mais il dut plonger sous la rambarde et atterrit en boule sur le trottoir. Une silhouette familière se précipita vers lui pour l'aider à se relever.

— Willow ! s'exclama Alex, l'air dégagé malgré sa chute spectaculaire. C'est justement toi que je voulais voir !

— Vraiment ? demanda la jeune fille, pleine d'espoir.

D'après les critères de Sunnydale, elle était ordinaire et ennuyeuse : toujours le nez dans un bouquin, et en plus c'est sa mère qui choisissait ses vêtements.

Son sourire doux se fit radieux tandis qu'Alex s'approchait d'elle. Fidèle à son habitude, le jeune homme ne sembla pas le remarquer.

— Oui, je voulais te voir, confirma-t-il. J'ai un problème avec les maths.

Willow s'efforça de masquer sa déception.

— Quel exercice ?

— Tous. Tu ne voudrais pas me faire bosser ce soir ? S'il te plaît... Tu pourrais être ma prof.

— J'y gagnerai quoi ? s'enquit-elle joyeusement.

— Je dois avoir une pièce d'un dollar au fond de la poche...

— Tu es trop généreux ! Commence par lire les *Théories trigonométriques* ! C'est un livre que tu devrais emprunter.

Alex fronça les sourcils.

— L'emprunter ?

— Ben oui, à la bibliothèque… Tu sais, cet endroit où on fait pousser les livres.

— Oh ! je vois, grogna Alex. Mais je veux vraiment m'améliorer. Je te promets d'être un élève studieux.

Alors qu'ils pénétraient dans l'établissement et se frayaient un chemin parmi la foule des élèves, leur ami Jesse s'approcha.

— Salut, dit-il en leur faisant un signe de tête.

— Salut, répondit Alex en lui flanquant une tape dans le dos. Quoi de neuf ?

— Il y a une nouvelle ! annonça Jesse.

— Exact. Je viens de la voir. Plutôt canon, hein ? fit Alex avec un clin d'œil.

— Quelqu'un m'a dit qu'on l'avait transférée ici, expliqua Willow.

— Vas-y, raconte, pressa Alex.

— Raconte quoi ? demanda Jesse.

Jesse était grand et costaud, avec des cheveux très courts et d'épais sourcils. Ce n'était pas un des types les plus en vue du lycée…

— Pourquoi est-elle ici ? Comment s'appelle-t-elle ? interrogea Alex en levant les yeux au ciel.

Jesse haussa les épaules en guise de réponse.

— Décidément, mon pauvre vieux, tu ne me sers pas à grand-chose, décréta Alex en soupirant.

[...]

La nuit était tombée. Des ombres glissaient sur les murs humides et lézardés, s'infiltraient dans les crevasses, se tapissaient dans les coins ou enveloppaient les statues, gardiennes sans âme de la mort et de la pourriture.

Les silhouettes humaines agenouillées sur le sol, tête baissée en signe de supplication, ressemblaient à ces statues. Une mélodie sourde s'élevait et retombait autour d'elles, se répercutant contre les parois de la salle.

Luke se tenait à l'écart des autres, car son rang le lui permettait. Même à genoux, il restait imposant avec sa haute taille, ses larges épaules et ses bras musclés. Il avait une bouche charnue et le front bas. Ses narines frémissaient, ses yeux en amande étaient envoûtants.

Un observateur non averti l'aurait pris pour un jeune homme d'une vingtaine d'années. En réalité, Luke était beaucoup plus vieux que ça. Ses vêtements semblaient dater d'une époque très ancienne.

Les sens en alerte, il écoutait.

Le chant s'amplifia, se fit plus intense. Luke observa la surface immobile d'une flaque écarlate. Une flaque de sang.

— Le dormeur va se réveiller, annonça-t-il.

Sa voix était grave et sonore ; son haleine sentait le cadavre pourrissant et la terre fraîchement retournée. Il avait un visage de vampire.

— Le dormeur va se réveiller, répéta-t-il, et le monde saignera.

Il plongea un doigt dans le liquide poisseux.

— Amen.

Tandis qu'un souffle invisible agitait follement les flammes des bougies, les ruines alentour s'illuminèrent. Les ruines d'une église enfouie sous terre depuis des siècles.

Au plafond, des arches et des poutres brisées formaient d'étranges angles.

Le sang coulait lentement d'une haute table qui avait dû être un autel.

Les fidèles reprirent en chœur leur mélodie, emplissant la pièce de leur dévotion et de leur désespoir. Puis ils attendirent.

[...]

Cloîtrés entre les murs pourrissants du sanctuaire, les fidèles continuaient leur incantation.

C'était un rituel aussi ancien que le mal lui-même. Lentement, toutes les voix caverneuses s'élevèrent comme une seule. La cérémonie atteindrait bientôt son paroxysme.

Près de l'autel, Luke se releva brusquement. Il resta immobile, les yeux écarquillés de ferveur, puis recula. Comme s'ils obéissaient à son signal, les autres fidèles l'imitèrent, la voix tremblante d'impatience.

Luke tendit les mains vers l'autel. Soudain, une tête jaillit de la flaque poisseuse. Le jeune homme sursauta et, incapable de détacher les yeux de ce spectacle, continua à reculer.

Quand la tête eut fini d'émerger, la silhouette élégante d'un roi endormi apparut; son corps massif ruisselait de sang épais.

C'était le Maître. Le plus puissant des vampires. Né Heinrich Joseph Nest, six cents ans plus tôt, il était entièrement vêtu de noir et offrait un spectacle fascinant et répugnant.

Son visage ne ressemblait pas à celui d'un humain car il y avait longtemps que le démon avait chassé l'homme en lui. Le Maître était invincible. Il inspirait une soumission et une loyauté sans faille.

Il s'avança et tendit à Luke une main que celui-ci prit respectueusement.

Le visage du vampire était toujours à demi plongé dans les ténèbres. Luke lui céda le passage, tandis que le Maître regardait autour de lui.

— Luke…

— Maître?

— Je suis faible.

— La Moisson vous restituera vos forces, promit le jeune homme.

— La Moisson…

— L'heure est presque venue. Bientôt, vous serez libre.

Le vampire pivota sur ses talons. Il tendit un bras et eut un geste vif. L'air ondula autour de lui, formant une sorte de barrière magique.

Sans un mot, il laissa retomber son bras.

— Je dois être prêt, déclara-t-il. J'ai besoin de tous mes pouvoirs.

— J'ai envoyé vos serviteurs chercher de la nourriture, le rassura Luke.

— Bien. Quelque chose de frais, j'espère.

[...]

Malgré sa terreur, Buffy distinguait le visage monstrueux de Luke, ses lèvres qui découvraient des gencives pourries, ses crocs qui se rapprochaient de son cou.

Elle se débattait avec l'énergie du désespoir, mais il était beaucoup plus fort qu'elle et très lourd. De ses ongles semblables à des griffes, Luke déchira le chemisier de la jeune fille, révélant son cou nu. Buffy se raidit, attendant la morsure inévitable. Mais brusquement Luke poussa un glapissement et bondit en arrière.

Interloquée, Buffy leva la tête. De la fumée s'élevait de la main de Luke qui fixait sa paume avec stupéfaction et fureur.

Buffy baissa les yeux sur sa poitrine et aperçut la petite croix d'argent dont le mystérieux inconnu lui avait fait cadeau dans la soirée. Au cours de la lutte, le bijou avait glissé de la poche du chemisier et était entré en contact avec la main du vampire.

Buffy ne perdit pas de temps. De toutes ses forces, elle poussa sur ses deux jambes pour décocher une ruade à Luke. Le vampire tomba en arrière et la jeune fille s'élança vers la porte.

Buffy courait vers les bois, slalomant entre les tombes aussi vite qu'elle pouvait. Quand elle atteignit la lisière des arbres, elle s'arrêta pour jeter un coup d'œil vers le mausolée.

Personne. Elle était seule. Luke ne l'avait pas suivie. Soudain elle entendit crier Willow.

— Non ! Noooon ! Ne me...

Buffy s'élança.

Willow, à terre, tentait de se débattre contre un vampire qui la toisait d'un air impitoyable. Il allait lui plonger ses dents dans le cou quand Buffy se montra.

Surpris, il leva les yeux.

C'était tout ce que demandait Buffy. D'un coup de pied, elle projeta la créature quelques mètres plus loin. Son adversaire poussa un grognement de douleur et s'éloigna en gémissant.

Buffy s'immobilisa le temps de reprendre son souffle, et balaya les environs du regard. Un craquement de brindilles parvint à ses oreilles, suivi de protestations étouffées. Aussitôt, elle se remit en chasse, abandonnant Willow qui s'était assise, les yeux encore écarquillés de terreur. Quand cette dernière parvint à se relever, elle emprunta le même chemin que sa camarade.

Buffy ne mit pas longtemps à découvrir ce qu'elle cherchait. Deux vampires tenaient Alex, le traînant sur le sol. Sentant une présence ennemie derrière eux, ils se retournèrent lentement.

Au lieu de Buffy, ce fut la silhouette élancée de Willow qui apparut entre les arbres. Réalisant le danger mortel que courait Alex, la jeune fille se fit menaçante.

Les vampires pivotèrent à nouveau, mais Buffy leur barra la route et n'eut pas de mal à les mettre au tapis. Deux coups de poing bien placés et ils s'effondrèrent… avant de se relever et de filer sans demander leur reste. Malheureusement pour lui, l'un d'eux ne fut pas assez rapide.

Brandissant un pieu, Buffy le rattrapa et le transperça proprement tandis que l'autre vampire prenait ses jambes à son cou.

Willow se précipita vers Alex et s'accroupit près de lui. Elle souleva doucement la tête du jeune homme pour la poser sur ses genoux. À son grand soulagement, il respirait encore. Il cligna des yeux à plusieurs reprises et, découvrant son amie, fronça les sourcils.

— Ça va, Alex ? demanda Willow.

— Je ne sais pas trop… (Il semblait désorienté.) J'ai reçu un coup sur la tête, et…

Buffy se rapprocha d'eux.

— Où est Jesse ? s'enquit-elle d'une voix tendue.

Willow réalisa que le jeune homme avait disparu.

— Je ne sais pas. Ces monstres nous ont attaqués, et il était vraiment très faible…

— La fille l'a attrapé, marmonna Alex. Elle est partie avec lui.

— Par où ? le pressa Buffy.

Alex secoua la tête.

— Je n'ai pas vu.

Buffy aiguisa ses perceptions et sonda les ténèbres en se concentrant.

Rien. Elle sentit son cœur se serrer.

— Jesse, murmura-t-elle.

Composition : Francisco *Compo*
61290 Longny-au-Perche

Imprimé en France sur Presse Offset par

BRODARD & TAUPIN

GROUPE CPI

La Flèche (Sarthe), le 20-09-2000
N° impression : 3706

Dépôt légal : octobre 2000.

12, avenue d'Italie • 75627 PARIS Cedex 13

Tél. : 01.44.16.05.00